Stenfågel

MånadensBok

Av Sven Delblanc har tidigare utgivits:

Eremitkräftan 1962
Prästkappan 1963
Ära och minne 1965
Homunculus 1965
Nattresa 1967
Åsnebrygga 1969
Åminne 1970
Zahak 1971

På annat förlag

Trampa vatten 1972

Sven Delblanc

Stenfågel

en berättelse från Sörmland

Albert Bonniers förlag

Stockholm

ISBN 91-0-038467-4 häft.
ISBN 91-0-038468-2 inb.

Trettonde–trettioandra tusendet
Printed in Sweden
Alb. Bonniers boktryckeri 1973
Stockholm

I

Döden och ålderdomen blev du äntligen varse. På hemväg från dagsverket ser du den lysande aftonstilla ån, ser solnedgången sväva mellan himmelsvida vingar av färg, och äntligen inser du klart, att även i ett människoliv blir det kväller.

Hästarna står kvällströtta och dovna mellan skaklarna, ruskar otåligt på huvudlaget och valkar det grönlöddriga betslet i munnen. De vill hem till kvällsfodret och vilan, och kan i sin oskälighet svårligen begripa, att bonden har blivit stående i begrundan här på backkrönet vid Alby. Varför blev du stående, bonde? Du såg din ålderdom till slut, och du blev solnedgången varse. Djuren ser aldrig solen, ej heller barnen och de unga, som vandrar sorglöshetens vägar. Men en afton som denna når du backkrönet och ser in i solnedgången och blir ålderdomen varse. Snart är det natt. Och du ska snart bli gammal.

Gammal. Gammal och trött. Och inte ens vilan ger vederkvickelse, inte nattsömnen, inte middagsvilan i gräset en sommardag. Jorden kallar på dig redan, du vilar så tung på jorden: kropp tung som sten vill ned i mörka jorden. Arbete och kärlek var varp och väft i livets väv. Och arbetet var en lust, som du mötte vederkvickt och var morgon förnyad, och alltid var din hustrus famn en pånyttfödelsens brunn. Men så kommer den dag, då arbetets redskap faller ur din hand, så kommer den förödmjukande natt, då du vänder dig mot väggen och låter din hustru ligga med famnen tom, frusen och första gången försmådd. Nu är du gammal. Tomma händer, famnen tom, styv och sträv, krasslig och kutig, tung som sten och ständigt närmare jorden. Nu vänder sig hästarna mot dig och ser med blickar som förstår. Kvällshimmel, aftonstilla, men din kropp blir sten. Nu sjunker aftonrodnad ner i taggig skog, och du frågar för första gången om du någonsin skall se solen åter gå upp.

Vad återstår för en gammal man? Fåfäng skall du gå i ålderdomens dagar. Förr hade gammelbonden goda råd att ge, men vad vet du som är värt att säga om alla dessa nya maskiner, McCormick, Deering, Bolinder-Munktell, som lysande av rödlackerat trävirke och slipat eggjärn körs hem på skrinda från järnvägsstationen? Inte ett kofen. Möjligen kan du gnälla över allt detta nya, gnälla som takdropp i dagsmeja över allt som är nytt och obehövligt och drar skuld och hypotek över gården, men ingen skall akta på ditt gnäll och höra dina råd. Din käring kan ännu hjälpa till med barnbarnen, om hon eljest drar jämt med svärdottern, men själv blir du sittande dagen lång i din gungstol, dömd till en skamlig sysslolöshet.

Det är så du blir förvisad till Gubbabänken. Ingen har användning för dig, ingen ger sig tid. Då tar du käpp och keps och söker dig ner till Handlarns butik. Där kan du förnöta din dag på Gubbabänken i lag med Andersson och Urgubben och vilka eljest har makat sig hit. Här händer alltid något. Hit kommer Elof i Alby och köper ny däckelgjord åt sin luftsnappare till märr. Hit kommer

Lille-Lars i Näsby för att köpa spik: nu ska det alltså bli av för honom att bygga om hönshuset? Hit kommer Lundewalls piga för att kritsa obegripligt mycket öl, när doktorn ska ge viraparti med zwyck för bankkamrer Müntzing och Sill-Selim Zetterlind i Trosa. Och dagen lång kommer kvinnor och barn för att handla specerier, en stadig kommers, kan tyckas, men inte så livlig som förr, inte nu sen Konsum byggt ut butiken nere i samhället.

Fast Handlarn tar väl igen på gungorna vad han förlorar på karusellen. I detta nu sitter han i samspråk med Rävfarmarn därinne på kontoret, och vad det betyder kan en ju gissa sig till. Inte bådar det gott för Rävfarmarn, i vilket fall. Och samtalet på Gubbabänken har tynat till suckar och enstavigheter och förståndiga talesätt, på det maner som utmärker gubbars cirklade och försiktiga meningsutbyte.

Ja, det är märkligt detta med mannen och hans tal. Unggloparna skrävlar och sladdrar och svär så det osar, en fullmyndig man talar föga och spar sina svordomar till de stora och sällsynta tillfällen, då kraftord verkligen är av nöden, men gubbens tal är som ett evigt takdropp och hans kraftord är saftlösa som en kvinnas. Du käre värld! Du gode tid! Ja, jäsiken anåda!

Men det är sant, Urgubben svär ju än i dag som den gamle gardist han är, svär så det vita skägget bär en svavelgul rand runt käften på honom, men egentligen är det ingen tyngd och kraft i hans ord, otidiga och opassande hos en gammal man, som borde betänka sina år och den ändalykt oss alla förestår. Men Urgubben ber Gud sig förbanna och manar skock miljoner bövlar in i sin nittioåriga njurtalg. Han luktar myrstack av ålderdom, men är ännu reslig och karsk till humöret. Han tjänte distinktionskorpral på Svea Livgarde i tiden och bär ännu blå kommissbyxor över sina långa älghasor. Urgubbens anfrätta minne hänger som en söndrig klädnad på gyllene spik: det hände sig en gång, då han gick högvakt i Logården, att han fick en hel carolin i drickspengar av Karl XV, och han bär ständigt guldmyntet med sig i en mässingsdosa i storvästens bröstficka. Tror du inte vad jag säger, din söte jävel, nå var då så fullifan och se på det här och säg vad du ser, och vill du veta vad jag sa till kungen, så sa jag som så ... Om du vill veta!

Nej, du käre värld och gudibevareoss väl, ju mindre det blir berättat om Urgubben och hans möte med kungen, dess bättre ... Och hur fagerhultarna har ork att dra jämnt med denne sin anfader, det är mer än en kan begripa.

Från kontoret hörs Rävfarmarn brista ut i ett vredgat rop, men han överröstas genast av Handlarns ändlösa, dövande, sövande bas.

Gubbarna håller andan och lyssnar. Men det är omöjligt att höra vad samtalet går ut på. Fast en kan ju föreställa sig på ett ungefär.

Det har gått uppåt för Handlarn di här åren. Lånerörelsen växer, han har aktier i kalkbruk och bryggerier, och fan vet om han inte har sina planer på Gieddeholm, för snart är det väl grevens tur att trilla av pinn ...

Men gubbarnas tystnad bryts av skriken från måsars häftigt virvlande yrsnö utanför fönstret: med klagande röster berättar vita fåglar om havet. Måntro vad det kan betyda – ska Zetterlinds strömmingsbil komma på olaga tid? Men det fjädervita, yrande molnet avtar snart och skriken tystnar när fåglarna kommer till ro på den jordfasta klippan i backen mot Alby. Tung och grå bär stenen sin vita hätta av levande fåglar, stentung och grå med mossgröna strimmor och lavarnas spelande färger av duvgrått och aska. Så tungt att vara sten och vila tung och orörlig på jorden. En sten ger aldrig liv och bröd och värme, den vilar bara tung och stum på jorden. Så tungt att vara gammal, att stelna och förlamas av dödens stumma dragningskraft från jordens inre... Vad hjälper dig mot ålderdomen, gamling? Våld hjälper mot förtryck, mot hunger möda, mot åtrå kärlek... Men vad mot ålderdomen?

Ett sista rop från någon ensam mås, en kallelse från havet. Tre gamla män ser ned i sina händer och blickar runt med skumma ögon i butiken. Seldon i taket, ett läckande isskåp med immig ruta av refflat glas. Dörren till magasinet står på glänt och släpper ut sin goda lukt av tjära, fotogen och specerier. Men starkast är doften av kaffe, ty nu har kommersen gått i stå, och Rulle fördriver tiden med att väga upp kaffe i bittesmå vita pappers-påsar.

Ännu ett skrik från måsar, sedan tyst.

Det vart tomt efter Abraham, säger Andersson, ja, nog vart det tomt här på Gubbabänken när den mannen gick bort, ty därom kan alla vittna, att Abraham var en mångkunnig man, som alltid höll målron vid makt. Märkligt att säga behöll han även som gammal sitt fullmyndiga mannavärde, ja, när Abraham tog till orda ville även de yngsta bönderna lyssna och ta sig tid... Att så välbevarad och aktad vandra mot sin ändalykt, det är ju mer än en kan säga om vissa andra ...

Men Urgubben, som oroligt vevande med armarna har noterat pikens annalkande, gör nu en parad medelst utfall mot tredje person.

– Men nu tror jag fan själv sätter åt dig, pojkjävel. Tänker du sälja kaffe som kryddpeppar och konfekt?

Men Rulle ler sitt ironiska leende och säger som sanningen är: i dessa begynnande kristider söker även statarhustrur hamstra vad kaffe de kan, men det är sällan det blir mer än hektovis. Annorlunda då med patronessan Lönbom på Lida, en storslagen och spendersam dam, som redan har vindskontoret fullpackat med Santos och Colombia i säckar och balar ...

– Di fattiga hamstrar och di rika ser om sitt hus, sammanfattar Andersson fundersamt. Åt den som haver skall varda givet. Som nu den här godsägarn Norup, bondeförbundarn, han såg då om sitt hus när han la opp tusentals liter bensin och fortoschen te sina traktorer och limusiner, men för denna sin sparsamhet kom han veterligen inte på häkte ...

– Är det som du säger lär han väl straffa ut sig från politiken, åtminstone, förmenar Urgubben, orubbligt korpralslojal mot Höga Överheten.

– En kunde ju tycka det, förstås, men den sortens förtänksamhet har då aldrig legat folk i fatet, när dom velat bli riksdagsmän och ministrar och kungliga befallningshavande ... Apropå riksdagsman så var det rent förunderligt länge sen en såg till Skomakar-Ludde, det är inte ofta han bekvämar sig hem till Hedeby, sen han kom i andra kammarn, och vit om tassarna har han vurtit, som hade han aldrig kommit sin hand vid smörja och beck ... Så nog är det underliga tider. Baron Urse på Valla gjorde av med sig, som fint folk brukar när dom sederar, och greven på Gieddeholm lär ju vara på kneken. Men knappt har en sluppit en sorts herrskap, så kommer det nytt herrskap i stället... Nog är det besynnerligt? Ja, det är underliga tider! Dyrtid är det, med smöret i tre och femton efter margarinaccisen, och strömmingen står i åtti öre kilot, och brännvinet ska en bara inte tala om... Länder och troner står på näsan, och här har nyligen denne konungsmannen Zog av Albanien med stort följe av fruntimmer dragit genom landet, till menighetens djupa förundran... Men hur ska det gå om det blir krig? Vad kan Urgubben, gammal knekt som han är, ha sig bekant om fosterlandets utsikter i så fall?

Ja, det är inte så lätt att säga, det... Svordomar och krigiska kraftuttryck brukar eljest inte tryta Urgubben i gapet, men inför utsikten att ryssen eller tysken skulle dra hit med härsmakt blir han besynnerligt tyst och beklämd och kliar suckande sin vitborstiga haka, veckig och bred som ett amputerat knä. I stället jämkar han samtalet över på Pärsy, som så märkvärdigt har räddats till samhället genom militärtjänstens danande och fostrande inverkan: trogen sitt löfte har Pärsy snott värvning vid Livgardet, och nu väntas han hem till Hedeby som nybakad korpral, permitterad i väntan på den rekapitulation, som ska föra honom vidare i graderna.

Urgubben orerar om Pärsy, som hade det varit hans egen son, medan Rulle fnyser föraktfullt vid kaffepåsarna: ska sanningen fram är det väl inte bara ärorika rykten som cirkulerat om Pärsys militära karriär...

– Nej, det kan en ge sig söta faen på, orerar Urgubben, att hade inte Pärsy kommit i armén och fått lära sig veta hut, då hade han setat på Långholmen den dag i dag är. I lag med somliga andra, om rättvisan fick ha sin gång ... Ingen nämnd och ingen glömd!

Det blir tyst i butiken, Rulle tittar upp med nyfiket vibrerande näsa, och gubbarna rör sig besvärat på bänken: den piken var nästan i grövsta laget, sånt talar man inte om i onödan ...

– Han lär ska komma ut nu, vicken dag som helst, säger Rulle, som dessbättre missförstod gliringen.

Ja, du käre värld, du gode tid ... Ja, det är mycket. Det är mycket en inte kan förstå. Som nu detta att Abraham skulle få en odugling till svärson. Odugling och långholmare. Och vad så beträffar dotterdottern, Märta ... Ja, det var kanske bäst som skedde. Och inte lär den snedresan ha skämt hennes utsikter, för pojkarna svärmar då kring henne där nere på konditorit som flugor kring en sirapsburk ... Ja, det är underliga tider. Det är mycket han slapp uppleva, Abraham. Ja, det är mycket.

Nu ringer det i dörrklockan, och in träder Oscar den andre, Oscar Hesekiel Ahlenius, Guds barnbarn och bärare av ordningstalet två i kyrkoherde Ahlenius talrika barnaskara. Han är blek och lite fetlagd, klädd i golfbyxor och sticktröja. Närsynt kisande granskar han gubbarna på bänken: något säger honom, att gubbarna tillhör Folket och Massorna, och att han egentligen borde vända sig till Massorna med agitation och flammande retorik, men inför Urgubbens blacka, ondsinta ögon sviker honom modet, ironi och leda förlamar impulsen, och Oscar den andre inhandlar hastigt ett paket Bridge och slinker ut samma väg som han kommit ...

Ja, du käre värld. En kan åtminstone vara tacksam att en får ha heder av barnen. För Ahlenius lär det väl vara både si och så med den saken? Se, Oscar Hesekiel var det ju huvud på, han skulle kostas på. Men det har tydligen inte gått som beräknat där uppe i Uppsala. Studieskulder, säger somliga. Sprit och politik, säger andra. Och slutligen har det talats om inspektorsvarning, varav tycks framgå, att även studenter i Uppsala står under rättare och inspektor. Och vad nu det politiska anbelangar ...

Men nu går det i dörrn till kontoret, och ut kommer Rävfarmarn, grå och valen i syna som efter en genomvakad natt. Gubbarna makar sig samman för att bereda plats på bänken, men Rävfarmarn syns inte beredd att emottaga anbudet, inte ännu ... Han vänder om en trave galvaniserade plåthinkar, slår sig ner och torkar sig länge i syna med en snusnäsduk. Rulle böjer sig över sitt arbete och viker oförtrutet de prydligaste musöron på kaffepaketen.

Gubbarna suckar och vrider sig på bänken: de känner så tydligt Rävfarmarns elände och vånda i luften, men ingen av dem har kraft att ingripa, råda och hjälpa. Kanske om Abraham hade varit i livet ...

– Nog är det besynnerligt, säger Rävfarmarn sent omsider. Nog är det besynnerligt, detta med fruntimmer och kläder ... En tycker ju att det som duger ett år gott kunde duga nästa. Men lägger man på ordentligt med silverräv, så kan man ju ge sig fan på att det kommer nåt nytt mode från Paris, och så ska varenda käring ha blåräv ... Och så står en där med femhundra skinn silverräv, som buntmakarn knappt vill ha till skänks, ens en gång ...

Urgubben fumlar upp mässingsdosan ur storvästens bröstficka, öppnar locket och känner efter med fingerspetsen, att guldmyntet vilar på sin vanliga bädd av skär vadd: av den amuletten hämtar han styrka. Gubbarna suckar och ser ned i sina tomma arbetshänder efter råd och hjälp åt Rävfarmarn. Men vem kan hjälpa en karl som råkat i Handlarns klor?

– Femhundra skinn, säger Rävfarmarn. Prima silverräv.

Men nu kikar Handlarn ut från kontoret, kliar sig i morrhåren, kisar och spinner som en däst katt.

– Skulle inte Gustafsson ha sig en konix?

– Det kan väl anstå till nån annan gång, står Rävfarmarn på sig och är stursk.

– Ja, frågan är fri, kurrar Handlarn belåtet. Men nu skulle jag väl se till och få Gustafssons namnteckning bevittnad ...

Gubbarna reser sig lydigt och krafsar ner sina signaturer på angiven plats: det är en tjänst de ofta får biträda med, och något måste en ju betala för stugvärmen och nyttjanderätten till Gubbabänken. Handlarn håller sin feta hand för reversens text, fast en kan ju föreställa sig på ett ungefär ... Och Handlarn blåser på bläcket, spinner förnöjd och tassar åter in på kontoret.

– Femhundra skinn, säger Rävfarmarn hopplöst. Silverräv, prima kvalitet ...

Om bara Abraham hade varit i livet? Trist att inget kunna göra, drygt att bara stå och glo, mens Rävfarmarn går ner sig i träsket. Drygt är det, och det känns att en har vurti gammal, gammal och frusen och maktlös. Maktlös ska du gå i ålderdomens dagar.

Avlägset ropar en mås sin kallelse från havet. Så blir det tyst på nytt.

Men du käre värld, vem är det som kliver med så tunga steg där ute på trappen, vem är det som sparkar in den oroligt ringande dörren med sin maktfulla känga, vem är det som träder in i butiken...

Pärsy! Pärsy i gardesuniform, med skolstreck på ärmen och korpralspinnar på ståndkragen och kepins lackskärm vilande på näsroten i ett ansikte som blossar av Hedebys tallösa välkomstsupar... Pärsy!

– Mors på er, gubbar, hälsar han överdådigt. Hur står det till här på bonnvischan?

Se, det blir ett märkligt möte, mellan Pärsys högmodiga ungdom och denna församling av modlöshet och ålderdom. Skackvuxen och svartsjuk glanar Rulle på denna ranka segrargestalt, Rävfarmarn glömmer för ett ögonblick sina bekymmer och gubbarna letar i hågkomstens dammiga skrymslen efter minnen från militärlivet att erbjuda Pärsy som gåva. Men Urgubben gormar och ror med armarna: det här är min pojke, kom inte vid honom med er näsvisa kärlek, jag är gammal knekt och här ska föras samspråk knektar emellan...

Men Handlarn nöjer sig med en kort och hånfull blick genom dörrspringan. Uniformer och blanka knappar imponerar inte på Handlarn: han har sett högre militärer än så hoppa tama som cirkustigrar genom gyllene tunnband. Här blir ingen invitation till kontoret och bjudkonjaken: Handlarn är inte den som ödslar sitt säde på hälleberget.

Men Pärsy gassar sig i gubbarnas beundran. Han står med händerna i byxfickorna och mösskärmen på näsan,

Men Pärsy är redan uttråkad som en ung prins, han har upphört att hoppas på bjudsprit, han vill vandra vidare i bygden för att finna någon ung kvinna att blända och beskälla. Han hälsar avmätt och ger sig av, trots att Urgubben med sorgsna svordomar och spindlande armrörelser söker hålla honom kvar.

Ungdomens sol har gått ner i den lilla butiken. Och förresten är det väl snart kväller och dags att masa sig hem och få en bit mat, som sagt. Sakta utrymmes Gubbabänken när åldringarna reser sig med knäppande leder och mödosamt hasar ut över golvet, ner för trappen, fot för fot, snart är det kväller, dags att masa sig hem. Vad väntar dig där hemma? Ingen behöver dig, ingen ger sig tid. Gammal. Kvällshimmel, aftonstilla . . . Se in i aftonsolen nu med skumma ögon och vet att det är kväller. Och det är dags att söka sig hem till ålderdomens torra bröd och kalla bädd. Snart är det natt. Och du är längesen en gammal man.

2

Papperspåsen är i fläckarna blygrått genomsiktig av flott, och dess innehåll är olustigt välbekant: torra, smuliga wienerbröd med seg, gul vaniljkräm, mosade mazariner med glasyren i skärvor och en formlös, russinfläckad klump av saffransskivor och överblivna muffins. Signe känner en plötslig vedervilja inför kaffebrödet, en gång sällsynta läckerheter för helgdagsbruk, i dag en vardagsvara, som väcker övermättnad och olust. Hon blir stående och ser ut genom fönstret mot Fridebos förvildade trädgård, ut över potatislandets vitfrusna och violetta blommor, ut över svinmålla, nässelstånd och mögliga surapelträd. Och plötsligt grips hon av häftig längtan efter vardagsbröd, vanligt hembakat rågbröd, tänk! – att få gå ner till armbågarna i en redig deg, att känna brödbakets milda doft i köket, känna den varma, mältade brödsmaken blomma som en pion i gapet ... Att en kunde längta så efter vanligt hembakat rågbröd?

– Du tar dig ju rent för när, säger hon till sin dotter. Bara nu inte Ohlson går och räknar bullarna efter dig?

– Asch, det är bara svinn, säger Märta. Det skulle ha gått till grisen, i vicket fall som helst ...

Jahaja, så det är grismat en har kalasat på i två år snart, ja, två år blir det i höst sen Märta fick gå omkull, ja, lika gott som skedde ... Och inte lär Ohlson sakna smulorna, och som flickan drar kunder till konditorit, karlslokar och pojkvalpar, fast, det är klart, det säger en ingenting om, det är ju knappast att undra på, inte så som hon ser ut...

Märta är vacker på ett lite ängslande sätt, som en brådmogen frukt med röta i kärnhuset. Hon har redan den mogna kvinnans fylliga former i servitrisuniformens svarta kjol och vita blus och sitter med silkesklädda ben förnämt korsade, blek i hyn som en fängelsekund eller grevinna. Hon bär sitt röda hår i pageklippning, och till vänster är hårtesten uppdragen i en fuktig krok: hon har kvar den barnsliga ovanan att suga på håret då hon ansätts eller blir ängslad. Hon röker oavbrutet, fimpar med gula fingertoppar och tänder på nytt.

Till dels röker hon för att skyla den tunga och sura lukten av vanmakt och förfall här i köket, lukten av härsket stekos, syrliga disktrasor, otvättade kroppar, kaffesump avkokt för tredje gången. Har man varit borta ett tag ser man med ens hur eländigt hemmet ter sig: pinnsoffan och trästolarna är lytta och vinda, dammet växer som grått hår på spiselkupan, den gula oljefärgen flagnar på väggarnas pärlspånt, och de värsta fläckarna har Signe sökt dölja med väggbonader från jul och påska. Mitt över soffan hänger ett anskrämligt draperi med devisen ”Hej tomtegubbar slå i glasen”, en broderad ringdans av rusiga, rödnästa tomtar inom en bård av korsade snapsglas, en bild så befängd, att den inger Märta en plötslig ilning av ängslan...

Odiskade kärl står travade i fläckiga, emaljerade bunkar vid spisen.

Signe höjer sina röda, svampiga händer i en hopplös

gest: har en varit borta och skurat hos Lundewall hela dan, då är det nästan för mycket begärt att en ska ha fejat lärhemma ... Jag ber dig, min dotter, fördöm mig inte med din stränga ungdoms krav, försök åtminstone förstå ... Ja, säger Märtas irrande, plågade blick, jag förstår, jag fördömer dig inte, bara jag själv slapp sjunka i detta eländes träsk, och nu kan jag inte hjälpa dig mera, här kan jag inte stanna ... Å, Gud, ge mig vingar och låt mig flyga, långt bort från hemmet, från Ohlsons Hov-Conditori och horden av kladdiga glopar, långt från Hedebys trånga, skvallersjuka värld ända upp till Stockholm, där jag kunde bli en fin och bortklemad Fru i päls och pampuscher ...

Agnes, lillasystern, kan ännu drömma sig bort från allt detta. Hon sitter under köksbordet och leker med sina dyrbara stenar, gröna, röda, vita, marmor, glimmer och kvarts, som hon tålmodigt samlar i bygden och sedan lägger ut till sinnrika stadsplaner och husgrunder, enligt en plan som är hennes egen hemlighet. Stenen är tung och död som verkligheten själv, men Agnes har redan lärt sig konsten att tvinga den döda massan till sköna och meningsfulla former. Så har då Agnes, verklighetens offer, i lekens sagorike blivit verklighetens härskarinna.

Men Berit kan inte längre leka, i hennes spetiga lemmar har det varma kvinnoblodet redan börjat pulsera. Hon sitter i kökssoffan, med de spinkiga myggbitna benen korsade efter systerns förnäma föredöme, och i famnen bär hon en packe smuliga, fransiga veckotidningar, sönderlästa på Ohlsons Hov-Conditori. Hon stirrar på systern med grym nyfikenhet och sniken avund: Märta är redan Kvinna, detta höga och avundsvärda, hon har haft en fin och förnäm herre nära sin kropp, och kanske är det för hennes skull den fine baronen gick i ån och dränkte sig... Och Märta har på kvinnors sätt tagit emot och burit ett barn: att hon kastade och inte fick bära fram vad hon mottagit, det är ju också något stort och mäktigt, med klang av kvinnoöde som av fjärran klockor. Så stirrar Berit på sin storasyster med en känsla av molande avundsjuka, och hon får en plötslig lust att rusa fram och klösa den avundsvärda i ansiktet, så kanske hon skulle bli arg och medveten om lillasysterns existens, arg nog att ägna henne ett vredesutbrott, som skulle göra dem till jämlikar...

– Gick du inom hos Karolina, undrar Signe och döljer sina röda händer under förklät.

– Hon var inte hemma. Men jag tog nyckeln och gick in och la lite bröd och socker på bordet. Det var inte så mycket, men det var allt jag kunde vara av med, du vet jag gör vad jag kan...

– Jag vet, sa Signe och betraktade sin dotters silkesklädda ben. Och var hon inte hemma, var hon väl vid graven som vanligt, buskar eller blomkrukor, det är väl nåt nytt hon vill kosta på...

– Var inte morfar värd att kosta på?

– Jo, jo, visst var han... Signe pressar knytnävarna mot bröstet, två år sen Abraham dog, och ändå tar jag nästan till lipen, men jag får inte börja gråta mens barna ser på, inte gråta, vad jag gör, men det är klart, att det var den gången först som jag förstod, vad riktig hjälplöshet vill säga... Men det förstår du väl, Märta, att jag inte missunnar min far en hederlig begravning, men när han nu inte hade nån levande glädje av det, och du minns ju själv hur vi hade det den där hösten, dom pengarna hade vi verkligen behövt... Krans och blommor för tiotals kronor, och så den där kistan, du minns, ekkista med fina beslag... Mamma försökte väl trösta sig på det viset, men pappa var ju död och borta och hade ingen glädje av allt det där... Förstår du vad jag menar?

– Jo visst... Men det vet du väl, att mormor ångrar sig för det, och nog försöker hon hjälpa dig vad hon kan...

– Tror du inte jag vet! Mamma skulle ta kläderna av kroppen om det kniper, ibland tror jag hon tar sig rent förnär, men vad skulle jag göra när småflickorna måste ha mat och kläder? Och så borde hon ju söka för det onda hon har i sidan, men det blir visst aldrig av, hur jag än tjatar, och fick hon som hon ville, skulle hon väl åka till homeopaten i Gnesta, för Lundewall kan hon ju inte fördra... Det har vurti galet hur jag än vänder mig, det är rentav förgjort... Och när nu Svensson kommer hem...

Och Signe skrattar gällt och pressar knytnävarna mot bröstet. Under de år som gått har hon lärt sig mångahanda sätt att hålla gråten tillbaka, och detta är bara en metod bland många andra: skratta och pressa nävarna mot bröstet.

– Det var ju inte så jag menade... Märtas röst är hes och lite nasal. Hon fimpar cigarretten, far med handen över ansiktet, får hårtesten i munnen och börjar suga.

Agnes ser undrande upp från sina lekar på golvet: en ton i de vuxnas röster har fått en sträng att ljuda i hennes inre. Hon blir sittande tyst med ett stycke grön marmor i handen.

En svartvit svala pilar förbi utanför köksfönstret.

– Och vad tänker du nu ta dig till?

– Jag vet inte, säger Signe och stryker sig över ögonlocken. Jag försöker väl vänta med det kommunala, så länge jag kan. Får jag se sen. Hon Lundewallskan lofte bestämt och höra sig för, om det var nån annan som behövde skurat. Om en månad eller så får jag kanske städa skolan, innan termin börjar. Men till dess ... Ja, sannerligen jag vet. Jag kan väl inte börja stryka igen, i vicket fall ...

Och Signe skrattar sitt riktiga skratt, solglimt i en molnreva, ett av de stora, sällsynta skratten från länge sedan. Berit och Agnes ser upp i förundran, för dem ter sig denna munterhet ovan och nästan skrämmande. Men Märta sticker näsan i handen och skrattar sitt okynniga skratt från förr, och hon ser på sin mor med lysande ögon, lysande, betagna, ty detta skratt har väckt minnen från sällsynta lyckostunder i barndomen, från en tid då det ännu var möjligt för Signe att skratta.

Så här hänger det ihop.

Signe försökte ge sig till glansstrykerska första tiden, sen Svensson kommit på häkte. Ett av hennes första uppdrag var att stryka stärksaker åt patron Lönbom på Lida, som ideligen går på storkalas, pyntad som en pingvin. Hetsad av allsköns bekymmer och fläng glömde hon strykjärnet, som avsatte en brun, spadformad fläck på det pikerade skjortbröstet. I ett ryck av tröstlös bitterhet och ilska grep hon det heta järnet och utvecklade den fula fläcken till en elegant fyrklöver. Patronessan Lönbom förklarade sig missnöjd med det nya mönstret, och Signes bana som glansstrykerska fick därmed ett brått slut.

– Så länge en kan fjollas är det hopp om livet, säger Signe, okuvad och skrattlysten, trots allt...

Och de vuxna kvinnornas leenden speglas i småflickornas ansikten, Berit lägger undan sin tidningspacke, Agnes sina dyrbara stenar, och de förenas i en plötslig gemenskap, varm som en omfamning. Men för Märta blir denna värme ett ängslande hot, som att sugas ner i ett sommarvarmt träsk, och hon bryter häftigt ut, för att göra sig fri.

– Det får nog bli som jag tänkt mig i alla fall, säger hon bryskt. Jag tar och flyttar in på kammarn hos Ohlson. Jag tänkte ta väskan med mig, det jag packade ner häromdan... Och det lilla som är kvar kan du ju se om småflickorna gör med, jag hade nog tänkt köpa lite nytt, i vicket fall.

Så tyst det blev? Småflickorna ser sig om i väntan på den känsla de vuxna kvinnorna ska stråla ut: ska det bli åska eller sol? Och Signe pressar den knutna handen mot sitt bröst: hon lämnar mig, hon går ifrån mig, ut i världen... Märta, jag föder dig för andra gången nu, och det gör lika ont som då...

– Du gör ju som du vill. Men blir det inte dyrt?

– Ohlson lofte påökt till första augusti, det blir väl jämt om jämt... Och du vet ju hur det är: det blir drygt att åka hem varenda kväll, den långa vägen...

– Varenda kväll, det är väl lite mycket sagt...

Och deras gemenskap har gått i moln, och det är åter grått och trist i köket. Signe lyfter sina svullna händer i en ofrivillig, bevekande gest, Märta sitter obevekligt tyst och röker. Ja, det är sant, det blir sent om kvällarna sen de stängt konditorit, och Märta hjälpt till med den oändliga disken, och fru Ohlson har först lånat ut en dyscha, sen blev erbjudet och sagt: ta vindskammarn nu, egen ingång och rinnande vatten och egen radio, och vad priset anbelangar är Ohlson som alltid human och fasil... Det blir mera praktiskt och gesvint, brukar Märta säga, men vad hon inte säger är detta: jag vill bort från fattigdomen och förfallet härhemma, jag måste bort från den kvinna som visar mig en möjlig framtid i sin skräckspegel, jag måste bort från min mor...

– Det blir ju mera gesvint för mig, säger hon avledande, försonande.

Ja, visst blir det lätt och gesvint, och inte bara för dig. Du är ett lovligt byte, Märta, med dig är det fritt fram. Egen ingång har du, och karlarna ska stå i kö vid din ingång, för dom ger sig inte, dom får nu en gång ingen ro förrän dom fått omkull dig, ner i skiten, ner i olyckan på nytt... För dig finns ingen barmhärtighet längre, inte sen du gick och la dig med Urse.

– Du gör väl som du vill. Men du vet ju hur det är, Märta. Det är inte lätt att vara ensamt fruntimmer.

– Det är väl inte så lätt att vara gift heller, alla gånger. Märtas nasala röst har blivit sträv i tonen.

Hugg för hugg, stygn för stygn... Märta röker förbittrad, Signe ser hopplös ner på mönstret av stenar, som Agnes lägger ut på den slitna trasmattan. Att vara fruntimmer, vad är det? Är det att ligga orörlig och hjälplös som en sten, till dess att en mäktig Herre lyfter dig och finner bruk för dig, ger dig rörelse och verkan, klyver och slipar dig till rikedom och mångfald... Men varför måste det vara så, varför måste vi ligga så hjälplösa och stilla, till dess att en karlsloks vilja sätter oss i rörelse?

Stenen är kanske dömd av Gud och naturen att ligga orörlig och väntande och stilla, men vi är inga stenar, vi är levande människor, och det kan inte vara rätt att vi ska leva och nyttjas så ... Nej, det kan inte vara rätt, och ändå är min högsta önskan för dig, min dotter, att en mild Herre ska lyfta dig varsamt från marken och nyttja dig med aktning, som en ädelsten ... Ja, Märta, jag önskar en bättre värld för kvinnor, men ändå är jag din mor, och jag måste önska dig ett så drägligt liv som denna värld kan bjuda ...

Men nu går det i farstun, och in kommer Gert, mager, smutsig, trasig, och ändå så trotsigt vacker, sin moders son.

– Är det dags och komma nu, säger Signe mekaniskt.

– Han har kommit hem, säger Gert. Och vem "han" är kräver ingen förklaring. Det var med tretåget han kom. Han sitter på hotellet. Jag har sett han.

Han har kommit, han är hemma, snart ska han stiga in genom dörren! Och längesedan glömda beteenden vaknar till liv hos Signe: husbond är snart hemma, och då ska maten stå rykande på bordet ... Och hon springer till diskbänken och river hjälplöst i de nersölade kärlen, kastar en vedpinne på spisen, gläntar på en skafferidörr för att söka den kalasmat som inte finns: så irrar Signe i köket som en överrumplad skuldmedveten husmor, ända tills hon hjälplös blir stående i barnens korseld av blickar.

Märta sitter orörlig som förut och biter i sin hårtest. Svårt att vara ensam kvinna, säger du mamma. Är det denna ofrihet du vill att jag ska välja? Är det här du vill att jag ska stanna?

– Du behöver inte springa bena av dig, säger Gert och stryker sitt röda hår ur pannan. Han sitter och ölar på Turisthotellet, med Olle och Stora Småland och Ville Vingåker ...

– Jag går nu, mamma. Jag tar väskan med mig.

– Ska du inte vänta på din far?

– Då lär man nog få vänta. Du kan ju hälsa så gott.

Och Märta tar sin väska och går med en suck av lättnad, ut i luften, där den förvildade shersminen sprider sin söta doft av smultron. Svalor pilar förbi i svarta bågar, på väg ner mot samhället och järnvägen, bort härifrån ... Går jag in bakvägen till konditoriet, behöver jag inte träffa Svensson, tänker hon. Egen ingång, eget rum med radio. Och någon gång kommer den man som ska föra mig bort från Hedeby. Vad vet jag om en kvinnas liv? Jag vet hur det inte ska vara, jag känner min mor. Stanna och hjälpa? Hon har redan sjunkit för djupt, henne kan ingen hjälpa. Rädde sig den som kan.

Och Signe sitter kvar i hjälplös vanmakt, ser sig om i köket, var ska man börja, vad ska man ta sig till? Berit har försjunkit i Hela Världen, Agnes leker tyst med stenarna på golvet. Gert tassar barfota över golvet, äter glupskt ur papperspåsen och stoppar ett par wienerbröd under blusen. Därpå försvinner han som Märta, utan ett ord. Vad ska hon säga? ”Ska du inte stanna och hälsa på din far?” Far, han? Det höga, allvarliga namnet är han inte värd. ”Han” eller ”Svensson” kallas han av barnen. Och hade jag bara vågat fråga dem, skulle de alla ge samma svar: Han kunde lika gärna ha blivit där han var. Det är ingen glädje med att Svensson kommer hem.

Svensson kommer hem, långholmarn är utsläppt i förtid! Med sedvanlig hjälp av Tysta Mari i telefonväxeln har den stora nyheten flugit över bygden. Vad säger hedebyborna om detta märkliga faktum, vad tänker man och tycker? Jag vänder mig först med denna fråga till Hans Majestät Konungen på Tullgarn, som just vederkvickt sig med diner – Potage à la Julienne, Suprême de turbotin Reynière, Selle d'agneau de lait Printanière, Fraises de Tullgarn – och nu retirerat sig till Blå Kabinettet för ett parti gin rummy med hovstallmästare Bonde, tjänstgörande adjutant och åldfru.

– Sveriges förhållande till främmande makter är gott, noterar monarken. Vår beredskap är god, och Vi kunna med djupaste förtröstan se framtiden an. Med djupt känd tacksamhet för alla de bevis på kärlek som kommit Oss till del från folket, nedkalla Vi Guds välsignelse över vårt älskade fädernesland. Spader kung!

Ännu bländad av kunglighetens glans skyndar jag till lägre regioner, in i prästgården, där kyrkoherde Ahlenius sitter vid sitt skrivbord, fördjupad i fromma spekulationer. Vad menar kyrkoherden om Svensson?

– Professor Nygren har fel, konstaterar Ahlenius, och slår förtrytsam sin vita hand i skrivplånet. Han har underlåtit att rätt beakta det viktiga och centrala: Guds kärlek till sig själv! Vabefalls? Jaså, Svensson... Ja, Gud söker människan på mångahanda vägar, och må det vara vår gemensamma förhoppning, att sagde Svensson, renad och luttrad av denna prövotid, må ha bragts till besinning om sina plikter mot Gud och människor. Låtom oss bedja!

Två steg därifrån sitter Oscar Hesekiel i sitt gamla

pojkrum, med korsade floretter över en bokhylla, där Marx och Engels står varvade med Dumas, Walter Scott och Sigge Strömberg.

– Fallet är mycket enkelt, säger Oscar den andre. Svensson är ett idealtypiskt exempel på trasproletären. Klassmedvetande obefintligt. Samarbetar utan skrupler med den härskande klassen. Jämför hans transaktioner med Handlarn och baron Urse. Problemet blir att hålla Signes klassmedvetande vid liv. Ditt eget intresse för Signes känsloliv och hennes relationer med primärgruppen är ett skolexempel på den sentimentalitet, som utmärker ditt i grunden småborgerliga klassmedvetande. För övrigt rekommenderar jag till läsning Thorez senaste artikel i Humanité. Briljant analys. Han visar hur kamrat Stalin genom beslutsamt motstånd mot hitlerfascismen definitivt har avvärjt risken för ett nytt världskrig. Briljant!

Vad säger doktor Lundewall om Svensson, där han muntert glammar med Müntzing och Zetterlind i Trosa Stadshotells blå trädgårdspaviljong.

– Har ni hört, säger Lundewall. Svensson har kommit hem, långholmarn. Det är snyggt. Nu ska det väl avlas nya yngel där bort i skogen. Såna där typer borde snöpas. Rashygien! Lombroso! Renodlad förbrytartyp och fyllhund. Selma! Bonga in en grogg till...

Och vad säger Lille-Lars i Näsby, samhällets stöttepelare, en aktad och bärgad man, som i många grenar av den kommunala förvaltningen åtnjuter sitt samhälles förtroende.

– Det är orättvist, säger Lille-Lars i Näsby. Man sliter hund ett långt liv för att lämna nånting efter sig, och sen blir det så här ... Drygt hundra hektar, och ingen kan ta vid. Mens ett kräk som Svensson har stugan full åv ungar ...

Vad säger Fjärsman?

– Ja, vaffan ska man göra med Svensson? Jag får väl höra in hos Handlarn i morrn, så får han bestämma ...

Och Handlarn själv?

– Svensson? Svårt och säga. Det blir väl lite kinkigt att nyttja honom till en början. Man får väl ta det lite varligt och pö om pö.

Och vad säger Pärsy där han vilar på kärlekens lagrar, som är nyslaget, kryddstarkt doftande hö i skullen på Vappersta.

– Gifta sig, vem fan har tänkt på och gifta sig, säger han olustigt och blickar upp i Sonjas blossande röda och ängsliga ansikte. Va? Ja, det är klart jag tycker om dig och så ... Och det är väl inte så säkert att du är med barn, förresten. Vad jag skulle säga – har du hört att Svensson kommit hem?

Och vad säger Rävfarmarn, där han sitter i sitt kök, i sorgset samspråk med sin hustru Hilma.

– Femhundra skinn, prima silverräv, ett helt års knog, ja, du vet ju själv. Och Handlarn ska ha sitt, och slår det inte till ordentligt i år, då vet jag mig ingen levandes råd ... Nå, du hörde om Svensson? Ja, inte vet jag, men nog vore det bra om Erik kunde lägga av med och fjäsa för flickan, Märta, ska det va nåt och stå efter, att gå och feja efter en annan karl?

Och vad säger Erik, Rävfarmarns son?

– Jag skiter i vad folk säger. Jag skiter i om hon är

dotter till Svensson eller Bildsköne Bengtsson eller fan själv ... Det är henne jag vill ha, det hjälps inte. Jag rår mig inte själv ...

Och även till dig, Karolina, har budskapet kommit när du vandrade hem den långa vägen från kyrkogården.

– Jag vet att det blir drygt. Men Signe måste underkasta sig och tåla. Han lever ju i alla fall och är hos henne, och det är mycket så. Hon får låta sig nöja med det.

Och Signe, slutligen, vad har du att säga till detta?

Ja, vad ska hon säga ... Hon har sjunkit ner i pinnsoffan i plötslig vanmakt, att med ens börja stöka och feja ter sig oöverkomligt svårt. Berit läser veckotidningar och idisslar kaffebröd med bruna, sönderfrätta tänder. Agnes leker med stenarna på golvet.

– Kan du inte häva ut stenarna åtminstone, varför ska du hållas med det där skräpet inomhus ...

– Det är inget skräp.

– Det är ju bara vanliga stenar?

– Jag tycker dom är vackra.

Så, du tycker dom är vackra, i dina ögon får dom värde. I sig själva är de ingenting, bara tunga, döda, värdelösa föremål, till dess att någan lyfter dom i sin hand, ser dom för första gången, och ger dom namn och verksamhet och värde ... Men varför, varför måste kvinnor leva så, så övergivna mannens blick och val och vilja?

Signe knyter händerna i knät. Tung av vanmakt, bergtagen av sitt kvinnoöde, skakas hon av en plötslig längtan att fly från mötet med sin herre.

Jag förkastar och förbannar mitt kvinnoöde.

Jag vill inte underkasta mig och tåla.

3

Det känns som att ta ett spädbarn i gumpen, när Elon lyfter den ljumma spannen och häller spenavarm mjölk i silens tratt. Löddret blossar upp som en rik blomkrona med opaliserande, regnbågsskimrande bubblor i vitt grenverk, en blommande hundloka av skummande mjölk. Bomullsfiltret ter sig uppluckrat och poröst som ostmassa, och Elon grips av plötslig begärelse, att krama den mjuka, vita substansen i sin hand. Han har sin lust till allt som är lent och mjukt, till grädde och mjölk, en kattunges päls och en kvigas juver, allt som ger aning och förebud om den kvinnlighetens mildhet, som för alltid tycks vara Elon förmenad.

Nu är femtilitersflaskan full, och Elon slår fast det kedjerasslande locket med handflatan och sänker flaskan i kylbassängens vatten. Silrummet luktar syrligt av surnande mjölkrester, stickande av diskmedel och kloraminlösning. Och detta var sista spannen för kvällen, nu återstår bara att eftermjölka den kinkiga och lättsinade Storstina, diska mjölkmaskinen, och sedan är fritiden inne med alla sina nöjen. Elon gluttar hastigt bakom de diskade kärlen, som står omvända till luftning på bänken, och där finns mycket riktigt den undansmusslade skatten: ett halvlitermått med tjock, gulvit grädde.

Utkommen i lagården ser han Erik stå och mocka ut

ett av de sista båsen: han ligger efter med arbetet i dag och verkar mest vara i olag, hela karln... Kanske är det nåt med Märta, eller det här att Svensson kommer hem, ja, sånt kan man ju ändå inte prata med han om, han är för stursk för att vilja bli hjälpt... Men korna känner av hans oro, de rör sig oroligt i båsen och sågar med klavarnas kättingar, ända tills Elon börjar tala till dem med sin mjuka och sövande röst. Han har god hand med kor, Elon, eller med Lille-Lars egna ord: "Ibland tror jag pojkfan kan hypnotisera kräken!"

Erik slår av skoveln mot rännans kant och kör sedan i väg ut mot dyngstacken med skottkärrans järnhjul mullrande över cementflon.

Elon sätter sig på pallen bredvid Storstina, torkar juvret med säckvävstrasan och börjar så varsamt massera den mjuka skinnpåsen. Kon slappnar av när hon känner de ömsinta, välbekanta händerna, lugnas, ger med sig och börjar åter idissla. Elon känner det mjuka juvrets väldiga halvklot som en luden, övermogen frukt, och handflatornas vällust inger honom ett sövande välbehag. Han lyfter hela juvret i händerna och tycker sig känna av dess mjuka tyngd, att det ännu rymmer en redig slatt. Med mjuka, rytmiska kramningar mjölkar han ur den ena juverhalvan, och hör den feta eftermjölken klinga i hinken, först med blonda, ringande läten, sedan med ett milt fräsande i det vita skummet. Därpå den andra juverhalvan: jag tror det är rena kaffegrädden du lämnar ifrån dig, Storstina, om inte den mjölken håller en åtta, nio procent vill jag va skapt som en nors... Och aldrig ett år att hon ger mindre än sina modiga femtusen kilo...

Storstina kränger ut huvudet mellan slåarna i foderhäcken och byter en vänlig blick med sin skötare. Men samtidigt blir Elon varse, att Erik står och bligar därute på flon, och han reser sig från pallen med en oklar skamkänsla: måtte va nåt fel på mig som tycker om kor, ingen ambition och framåtanda, nöjer sig med att gå andre man i lagårn, kogubbe, Dyng-Elon, och vilken flicka skulle tycka om en sån? Modstulen vandrar han mot silrummet i sina hasande gummistövlar.

Men Erik har inte sett honom ens, han har stått i sina egna tankar och bara glanat i tomme på sin arbetskamrat, och hans funderingar irrar oroligt kring sin fixa mittpunkt – Märta. Nu kommer Svensson hem från Långholmen, måntro vad det kan betyda, om det kan vara mig till hjälp att vinna henne, eller vad? Kanske att hon tar ledigt från Ohlsons i kväll för att fira far sin? Svårt att säga. Likaságott en går ner och ser efter i vicket fall som helst, rakning, tvätt, ren löskrage, om möjligt, och så ska jag be och få en halv kaffe och en kanelbulle och två lösa cigarretter, och så försöka fånga hennes blick, komma i samspråk, avtala ett möte, spela apa, göra sig till åtlöje, stukas, kväsas, dricka förödmjukelser som vatten, ja vad som helst för din skull, Märta . . .

Han lyfter huvudet och ser upp i taket, där dammiga spindelvävar hänger som söndriga draperier, och fätättingarna virvlar i sin ryckiga flykt – nog är det obegripligt att en som kan flyga fritt håller sig nöjd med att leva under takbjälkarna i ett fähus . . . När till och med korna är glada åt friheten på sommarbetet och bara motvilligt låter sig motas in om kvällen för att mjölkas.

Nog är det obegripligt?

Han ställer ifrån sig skoveln och går ut i stallet, till de

ädlare djuren, hästarna, männens kamrater.

Bara tre spiltor är upptagna nu sedan Lille-Lars skaffat traktor. Här finns två arbetshästar, bägge valacker, en blond halvardenner och en väldig clydesdalare med yviga vita hovskägg. Clydesdalaren är egentligen klapphingst, men uppträder lika fromsint och undergivet som sin olycksbroder – det är som hade han självmant fogat sig i sitt ofria öde av tjänande och vanmakt. De grovlemmade dragdjuren vänder sig mot Erik och betraktar honom med ett överjordiskt tålamod, som inger en obestämd olust. Men det är inte dessa sediga djur han söker, det är fullblodet, Lady Cecil, som spritter och dansar av nervositet i sin spilta.

Det är ett makalöst djur. Bortsett från en ansats till hjorthals är hon perfekt i exteriören, blänker som lackerad i den bruna hårremmen och rör sig med flickaktig grace. Hon har anor till engelska stamboken och är född och fostrad på Flyinge stuteri för en rangplats bland de stora galoppbanornas adel. Här i stallet på Näsby är hon vilsen och deklasserad, och Lady Cecil är också Lille-Lars enda stora felinvestering. Stoet var ämnat som gåva till Johan, ende sonen, som hade tänkt förgylla sitt ursprung med en reservofficersbeställning på Livregementet till häst, men efter den stora olyckan i fjol har Lille-Lars inte kunnat förmå sig att avyttra djuret, och Erik har till uppgift att vårda henne som ett dibarn. Kräsen och sparsmakad som en herrgårdsfröken äter hon havre, vetekli, melass, morötter, oljekakor, och är bättre utspisad än många människor här i Hedeby.

Erik visslar och småpratar för att lugna det lynniga stoet, som dansar och slår en stund, bara för att visa sig svårfångad, som en tyckmycken flicka. Äntligen släpper hon in honom, men kastar med huvudet ett par gånger innan han får gripa om grimman. Han ser in i hennes ametistvioletta ögon med dunkelröda skuggor av oro glidande på botten och han trycker sin kind mot hennes mjuka, duvgrå mule. Så obegripligt mjuk. Och bara denna beröring ger mig ett ögonblicks lugn.

Stoet fnyser genom vidgade nästrumpeter och sliter sig fri på nytt. Erik står en stund med tomma händer innan han går.

De smutsiga sparvarna i taket fladdrar upp med hysteriskt kvitter, virvlar runt, samlar sig åter, kommer på plats i taket och blir slutligen stilla.

Erik stannar på tröskeln till drängkammaren – med ens har han blivit eländet varse. Nog är det besynnerligt. Det kan gå dagar i sträck, då arbetets eviga enahanda förlöper utan olust och vedervilja: du sitter på traktorn, mockar i lagårn, vilar i drängkammarns kalla lukt av ensamhet och snusk, men i tankarna är du hos henne, och verkligheten kommer dig inte vid. Men något händer, som sticker vardagens gråa starr, och plötsligt ser du klart. Ja, visst är Elon en hjärtans beskedlig pojke, visst tycker jag om honom på sätt och vis... Men när jag ser honom sitta så där blir jag rädd.

Elon sitter i sin ouppbäddade säng i undertröja och kalsonger, med bruna fläckar i armhålorna och på knäna. Han äter kakaosmet ur en fläckig, emaljerad bunke, äter och stönar ofrivilligt av välbehag. Han är smetig kring munnen som ett barn. På nattygsbordet är råvarorna uppradade: ett paket Ögon-Cacao, en påse socker och ett halvlitermått tjock grädde. Det är väl inget ont i det, och har pojken inga värre olater för sig, som Lille-Lars brukar säga, och på sin höjd är det värt ett godmodigt skämt och en liten gliring... Men när jag ser Elon sitta så där blir jag rädd.

Detta är drängkammaren på Näsby, ett gavelrum i lagårn, värmd av täljstenskamin. Två sängar, en byrå, en kommod med smutsrandigt handfat. På byrån står en bikupeformad, bakelitbrun Radiola med den dammludna sladden upprullad som en svans. Kammarens konstnärliga utsmycknad är ett inramat fotografi av prinsessan Eugénies berömda skulpturgrupp: ett barn på huk framför en hund med överskriften ”Kan du inte tala?” Därtill tidningsfotografier av Deanna Durbin och Ulla Billquist.

Elon ropade in radioapparaten på en auktion i Nävhacka, två och sjuttifem, befintligt skick, död som en sten, stum som en fisk. Men det är väl inte värre med radion än att två händiga karlar som Erik och Elon skulle kunna reparera upp den. Men det har aldrig blivit av. Det är som om viljekraften slocknade för dem så snart de steg in i drängkammarn. Det vill sig inte för dom. Det blir ingenting av. Det blir ingenting gjort.

Som nu detta med fönstret. En ruta är krossad och ersatt sen flera år tillbaka med en hopvecklad säckvävstrasa. Om hösten droppar den regnväta på golvet, om vintern lyser den vitluden av rimfrost. Varför ska det vara så? I snickarboden finns fönsterglas och linolja och krita, en ny ruta skär man till och sätter in på ett nix. Men det blir aldrig av. Det vill sig inte för dom.

– Vill ni jag ska sätta in rutan åt er, gycklar Lille-Lars. Då ska jag åtminstone ha betalt som glasmästare!

Det drar jag av på lönen! Och pojkarna böjer sig olustiga över matbordet och lovar och bedyrar. Fast ingenting blir gjort. Som vanligt.

Men Erik tar sig samman. Han kränger av blåblusen och skjortan och börjar tvätta sig så gott det går. Han är trött, och sängen kallar på honom med löften om vila och resignation. Det tar emot, i kväll som alla kvällar. Men det måste gå, för hennes skull måste det gå. Jag får inte bli sittande viljelös i sängen, i ett rum som stinker av manlig ensamhet och vanmakt.

– Värst vad du gör dig fin. Ska du ner och se på tåget?

Elon lutar sig tillbaka i sängen med händerna knäppta över magen, däst och vag i blicken. Han slickar sig i munvinklarna för att tillgodogöra sig några intorkade flarn av den söta smeten.

– Eller ska du på kaféet?

– Varför gör du ingenting själv? Varför kan du inte tvätta dig åtminstone?

– Vad tjänar det till. Vem skulle jag visa opp mig för.

– Vi lever som svin.

– Det går en dag i sänder.

– Du kan ju laga fönstret, om du inte har annat för dig.

– Det är ju mitt i sommarn. Det är väl ingen brådska.

Det tjänar ingenting till, försöker en tala Elon till rätta är det som att gå ner sig i ett träsk . . .

Erik ställer sig på huk framför kommoden och försöker syna sig i rakspegelns bukiga yta: ett rödblossande, ängsligt ansikte under det vitblonda håret, som baktill spretar upp i en virvel, så snart vattenkamningen torkar, ljusa ögonbryn och ljusa ögonfransar kring den vädjande blå blicken: jag ser fanimej ut som en lessen gris ... Och den blå kamgarnskostymen lyser blankpolerad på armbågar och knän, det går ju inte en dag utan att en klär sig fin och sliter på det som borde sparas. Tänk om man bara hade en ren löskrage? Adamsäpplet rör sig ängsligt över kragknappen. Om man bara hade kläder, om man bara hade pengar, om man bara hade ... Men det har man inte, man sitter fast och orubbad som berget. Om jag bara kunde tala med henne, få henne att förstå? Att det ska vara så helvetes olika. Det finns pojkar som bara behöver blinka åt en flicka, så har dom henne på rygg. Andra kommer ingen vart, hur fan dom än stretar. Och så finns det såna som Elon, som inte ens gitter försöka. Nog är det konstigt? Oscar Hesekiel kan va helvetes bra på att förklara orättvisor, men den orättvisan kan han då inte förklara ...

I plötslig trötthet sjunker Erik ner i sin säng, stoppar pipan med Tiger Brand och tänder. Hon är grann som bara den, Deanna Durbin, men hunden, han kan inte tala ... Och även om han kunde, vad skulle det tjäna till? Hund blir hund, dräng blir dräng, slagen till slant blir aldrig riksdaler ... Och fönsterrutan, den blir aldrig lagad. Och flickor finns det gott om, och ändå är det bara en jag vill ha. Det är som en hade en sjuka. Och när jag gick och la mig med Sonja, stackarn, var det så jag måste skämmas efteråt, och ändå har jag inget avtalat med Märta ... Det är som förgjort. En rår sig inte själv.

– Jag tror det sökte dig, säger Elon vänligt. Vart du trött?

– Jag skulle ha en rök, bara ...

– Jo, du, det är mycket med fruntimmer ... Om en bara hade pengar kanske en kunde gå och språka lite med Brunzéns flickor?

– Dom tar ju inte emot så här på sommarn, det vet du väl ...

– Nä, det verkar ju så ... Men om vi skulle sala till en halvliter?

– Vad fan skulle det tjäna till, att vi super ner oss med Handlarns brännvin?

– Tjäna till och tjäna till ... Snart är det väl krig, och då är det väl lika bra en går på fyllan ...

– Krig ...

– Krig, ja ... Alltid blir det nån omväxling, sa han som skulle halshuggas ...

– Du är ju malaj.

– Ja, mej skjuter dom hemma. För och spara pengar.

Ja, Elon är på grund av skotträdsla nerklassad till malaj. Hans far tog sig av daga under värsta svagåren genom att stoppa en dynamitgubbe i munnen och tända på. I Hedeby tror man sig häri se en förklaring till hans skotträdsla. Elon var väl en fjorton, femton år den gången, då samhället lärde honom en svår läxa, skriven i grå hjärnsubstans på det svenska urberget. Det finns en makt, som kan vägra dig arbete och tacka nej till din friska människokropp, en makt som också kan spränga ditt huvud i stycken. Tag lärdom, Elon Jonsson, och stanna tyst och tacksam på din plats, orörlig och tung och stum som stenen.

– Du, Elon ... Har du aldrig tänkt på att försöka skaffa dig nåt annat knog?

– Vad skulle det vara? Sköta kor är ju allt jag kan...

– Du kunde väl försöka åtminstone, det finns ju så mycket nuförtiden, kurser, och folkhögskolan i Åsa...

– Det måste väl alltid finnas folk som ser efter korna?

– Jo, det är klart... Men så här behöver det väl inte vara?

– Hur då så här?

Elon, vad ska jag säga dig, har du inte längre ögon att se med, känner du inte själv hur du är på väg att bli en fjollig kogubbe, som folk flinar åt, som smeker korna och har högerhanden till hustru, som tröstar sig med sötsaker och brännvin och lever i skit... Och varför skulle det behöva vara så här?

Helt överrumplande ljuder knackningen på dörren som en liten trumvirvel, och in stiger Lille-Lars och ser sig om med misstänksamma, rödsprängda ögon.

– Kväll. Har du gett märren?

– Klart jag har...

– Nå, vad jag skulle säga... Vi lär få hit kontrollassistenten nästa vecka, verkar det som, men han får väl ligga på kammarn... Ja. Det kan hända jag får besök lite längre fram, och då får vi nog se till och rusta opp lite grann, så här kan det ju inte få se ut. Hur som sagt... Har ni haft Ahlenius här, pojken? Jag tyckte jag såg honom på stallbacken för en stund sen...

– Här har det inte vart nån. Vi har just kommit inom själva.

– Jaha. Ja, ni kan väl se till och få fönstret lagat, i vicket fall som helst, så där kan det ju inte få se ut, det kan gå röta i karmen...

Den storvuxne bonden står en stund obeslutsam med

tummarna i västfickorna, väger på tå och klack med en missbelåten uppsyn i sitt grova ansikte med tunga, borstiga kindpåsar. Så går han en lov runt kammaren, kanske för att luska ut om inte bolsjeviken Oscar Hesekiel Ahlenius möjligen gömt sig i nåt skrymsle, innan han surmulet nickar gokväll och lufsar ut.

De väntar under tystnad, tills husbondens steg dött bort och stalldörren slagit igen. Så bryter Erik ut, mest för att lätta den spänning som trycker honom.

– Vad fan ska han gå här och snoka för? Har vi inte rätt och träffa folk som vi vill?

– Asch, bry dig inte om bond... Det är väl synd om en egentligen, sen i fjol...

– Du vet vad Oscar brukar säga. Man ska aldrig tycka synd om klassfienden.

– Han pratar jämt så mycket lort. Jag har då tjänat värre bönder än Lille-Lars, och han är inte mera fiende än Oscar själv...

– Du är fanimej osolidarisk, Elon. Du har inte klassmedvetande för fem öre...

– Nu är det du som pratar lort... Ja, jösses!

Erik räknar nervöst slantarna i portmonnän, det eviga kaféspringet tär hårt på hans kassa. Om man bara hade pengar, om man bara hade ork, om man bara...

– Du har inte så du kan va av med ett par kronor?

– Tror du jag har pengar kvar mitt i månan? Vad fan skulle jag spara för?

– Pengar till brännvin har du ju i alla fall... Och när du ändå är hemma kan du väl sätta in fönsterrutan, åtminstone...

Lady Cecil dansar och slår i spiltan när Erik stormar

förbi och drar igen stalldörren efter sig. Kvällssolen faller in i drängkammarn, dröjer vid den stora hunden, som inte kan tala, stannar vid Deanna Durbins väna leende. Elon väntar tills allt är övergivet och tyst. Slutligen knäpper han upp kalsongerna för att blotta sin kropp.

Mellan spröjsarna i fönstrets undersida sitter en hopvecklad, halvrutten säckvävstrasa.

*

Erik parkerar cykeln och ser sig om vid stationen. Ödsligt och övergivet, var kan småpojkarna hålla hus? Ja, i kväll har stationens alla nöjen, pressbyråkiosken, gottautomaten och kvällstågen, fått övermäktig konkurrens. Först Svensson, fängelseblek och skrävlande i Avskummets andäktiga krets, sedan Pärsy i full uniform. Där står han rusig och segersäll framför Ohlsons Hov-Conditori, omgiven av småpojkarnas slaviskt beundrande hov: Tore i Skällsta, Sven i Skåång, Lars i Berga, Axel Weber och fjolliga Torsten. I kväll är det bara Gert Svensson som fattas.

Där står han i kretsen av sitt hov, en segrare och härskare. Och han är så säker på sin storhet och makt, att han inte ens låtsas se sin gamle kamrat, en hunsad dräng som klätt ut sig i liksta kostymen. Småpojkarnas blickar far över Pärsys gestalt som smekande händer: han bär uniform, han har skyttemärke, hans hårda nävar rör sig hemvant i kulsprutegevärets och kvinnokroppens hemlighetsfulla skrymslen. Så länge de minns har Pärsy ställts för deras ögon som varnande föredöme, ja, av den pojken väntade man säkert som guds ord att han skulle hamna på Lövsta uppfostringsanstalt eller Långholmen, och så går han och blir soldat och härskare och seg-rare... Se på mig, tigger småpojkarnas andaktsfulla blickar, se på mig och utmärk mig med tilltal och namn, kräv av mig att jag betjänar dig... Men Pärsy är snål på nådevedermälen. Märta har inte varit utom dörrn och har inte ägnat honom en blick genom konditoriets fönster, men han anar med sin rovdjurssäkra förförar-instinkt, att hon är medveten om honom, att hon halvt-omhalvt väntar kurtis, att hon inte är likgiltig. Och in-stinkten säger honom, att tiden ännu inte är mogen att gå in på konditorit och slå sig i slang. Medan han väntar fördriver han tiden med att prata om varjehanda, halvt för sig själv, för att inte skämma bort småpojkarna med sin gunst. Det är inte heller sina militära erfarenheter han torgför, nej, han nöjer sig med gamla och vanda lustigheter om Svensson och hans oförmåga att ta sig förbi Turisthotellet med törsten och pengarna i behåll. Och just i dag, när han nätt och jämnt krupit ur kurran! Jaja. Det sägs om Svensson, att han en gång slog vad, att han kunde ta sig ner till samhället på förrättningar utan att gå in på hotellet och öla. Och faktiskt tog han sig inte förbi hotellet, med kallsvett, ångest och kvidan, men när denna moraliska seger var vunnen, vart Svens-son så nöjd med sig själv att han utbrast: ”Nu vore det väl fan om jag inte är värd en bärsa!” Sade, störtade in på hotellet och firade så grundligt sin avhållsamhet, att han hemfraktades som en koffert.

Småpojkarna skrattar lojalt åt den slitna lustigheten.

Erik står som en handfallen lakej i den sorlande upp-vaktningens utkant, oviss om vad han ska göra: sälla sig till beundrarna, träda fram som kamrat och jämlike eller helt enkelt fly fältet.

Skymningen har börjat falla, det är långt lidet i juli, kvällarna är inte längre så ljusa.

Äntligen nedlåter sig Pärsy att lägga märke till Eriks närvaro, utmärka honom med sin uppmärksamhet och sitt nådiga tilltal.

– Se på faen, är det du som är ute och spankulerar, hur står det till med hälsan och kärleken.

– Jovars. Och du själv?

– Härliga tider, strålande tider... Vad jag skulle säga... Du går fortfarande och tjänar bönder?

– Jag går kvar hos Lille-Lars, ja...

– Ja, nån ska ju göra det med... Och skörden blir bra?

– Det skulle göra gott med ett regn, men annars vore det väl synd och klaga...

– Ja, bönderna klagar väl hur fan det än blir. Det är med bönder som med gummin, bra att dom finns och synn att dom ska behövas... Hä!

Nu har emellertid det börjat hända som Pärsy avsett: storpojkarna på kaféet kan inte längre behärska sin nyfikenhet. De betalar förtäringen, en efter en, söker sig ut och börjar samlas kring den uniformsklädde härskargestalten. Och Pärsy kåserar världsvant om preventivteknikens bisarra hjälpmedel och lustredskap: det finns en butik i Gamla Stan, förklarar Pärsy, där en kan köpa sig kådisar nåt så gudsigförbarme, där finns illröda fodral för bolsjeviker och blågula för goda patrioter, desslikes lyxgummin med knaggar och bockhorn och galoschbett av hårdgummi, sånt river skönt i lilla muttan... Hä! Raffinemang för lilla madam! Inte för att Pärsy ligger mycket för sånt, här är grabben som tassar barfota i lustgräset och aldrig käkar kola med papper på... Ja, det är mycket en får va med om ute i stora världen, bara en inte går hemma och mökar... Men man borde väl unna sig en kopp kaffe, vad nu Hedeby kan ha att bju på i den vägen... Som sagt...

Därmed kliver han svajigt in i konditoriet, där Märta orolig väntar på hans beställningar och önskemål, och storpojkarna står lurade och flata utanför: att åter söka sig in och beställa ännu en omgång kaffe, det vore lite väl grovt... Den där satans Pärsy... Och pojkarna skingrar sig motvilligt och söker sig till järnvägen eller Turisthotellets tröstande maltdrycker.

Erik ser genom fönstret hur Märta mottar beställning av Pärsy. Och han tappar lusten att själv söka sig in. Han vandrar några slag genom samhället, hör sitt namn ropas, men ingenstans finns en gemenskap som lockar honom. Han känner mycket starkt, att något borde göras, att han inte borde ge sig så lätt, att han borde ta upp kampen. Men det vill sig bara inte för honom. Det blir ingenting av. Det blir ingenting gjort.

Söka sig hem på långa omvägar och senvägar, så att Elon inte ska vara vaken och komma med alla dessa frågor, som kanske är vänligt menta, men ändå... Stå ensam på lagårdsbacken i sommarnattsljuset och höra göken ropa i öster. Se efter i stallet att allt är väl med Lady Cecil. Smyga in i drängkammaren med daggvåta skor i handen.

Men Elon vaknar inte. Han ligger blottad och bredbent utslagen som ett spädbarn i sängen. Och den välkända lukten av otvättade kroppar och kall piprök.

Mellan spröjsarna i fönstrets undersida sitter en hopvecklad halvrutten säckvävstrasa.

4

Skymningen har börjat falla, det är långt lidet i juli, kvällarna är inte längre så ljusa.

Ännu har han inte kommit hem.

Och det finns inget Signe kan göra.

Hon kan inte bryta upp och fly från en ovärdig man och ett ovärdigt liv. Hon kan inte bulla upp till välkomstfest för en efterlängtad make. Hon vill fly och hon vill stanna, hon väntar med både olust och längtan.

Ja, visst är han en odugling och ett bortskämt barn, visst skulle hon önska att han vore en annan. Och ändå – de har levat samman så länge, hon har tagit emot honom så ofta, hon har burit hans barn. Om bara han kunde vara någorlunda nykter när han kommer hem? Men det är han naturligtvis inte. Om han bara hade hört av sig i förväg? Men det hade ju inte varit likt honom. Han är den han är. Och fastän jag vet hur han är... Vi har levat tillsammans så länge. Och jag har länge varit ensam kvinna.

En är ju inte mer än människa.

Berit, så du ser på mig... Undras om du nånsin får ett sådant liv, att du förstår vem jag är och hur jag handlar. Hurdan är jag nu i dina ögon? Ful, halvgammal, tung i kroppen, flottigt hår, rödsvullna händer, åderbråck på benen, ja, vänta du, en dag ska också du få pröva på... Och ändå är jag inte för gammal att få barn, en olycka jag knappast vågar tänka på. Ful och gammal i förtid har jag blivit, och visst vore det bäst som skedde, om han inte ville ha mig... Men innerst inne vet jag inte riktigt vad jag vill...

Svalorna flyger lågt i kväll, kanske för att varsla om regn.

Berit, och bilden av mig i hennes ögon... Hon börjar bli kvinna nu, och därför hatar och föraktar hon mig, och så var det med Märta, och så ska det bli med Agnes en dag. Ändå kan vi ju ha så hyggliga stunder tillsammans, som när vi bakar och alla är sams och egendomligt upprymda av den goda doften, och även Agnes får vara med, en högtidlig, nioårig husmor, tyngd av sitt stora ansvar, att trilla en alldeles egen bulle... Eller som den där gången, då Svensson kom hem från Handlarn med fyra kuvert champoneringspulver, och vi värmde vatten och satte i gång och tvättade håret på varann, och herrejösses vad det löddrade, och som vi skrattade och stänkte, och Agnes blåste såpbubblor, och hela köket doftade citron... Ja, så kan det faktiskt vara någon gång...

Men gud vet var Märta hålls i kväll och vem hon är i lag med.

Av och till ett döende surr från någon insekt på flugremsans bruna, klibbiga spiral i fönstret. Så kvavt i kväll, så tungt att andas, om bara det kunde bli regn...

Färgen flagnar, tapeterna i trasor, och på vinden läcker det in. Och även min kropp är en fallfärdig boning. Brösten tynger mina skuldror, svullna ådror spänner sina värkande grenverk över benen, och en gång i månaden slår naturen klorna i korsryggen på mig för att säga: minns att du är kvinna! Och ändå har det funnits stunder, tillsammans med honom, då jag vilade så lycklig och trygg i min kropp, som en fågel vilar i sitt rede. Men vad är det egentligen jag vill? Jag vill och jag vill inte . . .

– Berit, säger hon av en plötslig ingivelse, Berit, du får ligga på kammarn i natt. Det blir för trångt här i köket. Om pappa kommer hem.

Nu ser hon på mig igen, med dessa unga, förfärliga ögon. Hon förlåter mig inte den svaghet hon beundrar hos Märta och snart ska förlåta sig själv.

Allt ska jag förlåta, inget ska vara mig förlåtet . . .

De bär över sängkläderna och bäddar upp inne på kammaren, Märta lär ju inte komma hem, i vicket fall. Gert bor på vindskammarn, där han sover på en madrass jämte skorstensstocken, när han överhuvud kommer hem nån gång. Han vandrar sen länge sina egna vägar, fri och skygg som ett vilddjur, en hövding i pojkarnas fågelfria skara. Konstigt att han håller ihop med Axel Weber, en tyst och vettskrämd pojke, som alltid pissar på sig, det är för jämmerligt och se . . . Men nog skulle Gert behöva en riktig far? Ibland hjälper han till hos Rävfarmarn eller Elof i Alby, får sig en slant och en matbit, men egentligen är det väl en far han är ute efter . . . Mig ser han knappast ens.

Och Berit samlar ihop sina veckotidningar och kakor, kastar en spydig blick på modern och drar sig in på kammarn. Bara Agnes blir stående på köksgolvet och ser på sin mor med egendomligt sorgsen uppsyn. Så går hon fram och lägger en rosafärgad, fjälligt gnistrande sten i Signes hand.

– Där . . .

– Ja . . . Vad ska jag med den?

– Den är fin. Du ska ha den.

– Men lillan, jag vet ju inte ens vad jag ska ha den till?

Och Agnes ser resignerat på sin mor, tar så tillbaka sin gåva och lägger den bland sina övriga skatter i pappkartongen vid vedlårn. Undergiven larvar hon fram och ställer sig mellan Signes knän, efter gammal sedvänja. Hon lyfter armarna, så Signe kommer åt att dra av henne klänningen. Så knäpper Signe upp livstycket med de fransiga strumpebanden och känner barnets fasta hull under sina händer, känner den varma andedräkten och håret som smeker henne över kinden, när hon drar på det urtvättade nattlinnet av flanell, och denna trygga och vana kroppsliga beröring inger henne i dag en känsla av beklämning. Agnes lyfter armarna för en omfamning, men drar dem tveksamt tillbaka, står en stund och ser prövande på sin mor. Så tassar hon ut på kammaren för att lägga sig hos Berit, går utan tillsägelse och drar varsamt igen dörren efter sig.

Signe blir sittande vid köksbordet, tyngd av en oklar känsla av förstämning. Men det är ju sent, det är redan natt, det är klart att barnen måste i säng, och vad det anbelangar ligger dom ju lika bra på kammaren . . .

Man borde väl städa upp lite grann? Och duka fram en festmåltid, finklädd och lagd i håret, och kanske ett glas att bju på, det är ju det minsta när en skötsam karl kommer hem från en lång resa. Då är ju bara det bästa gott nog. Då vill man ju gärna bjuda till och försöka.

Gamla människan, som jag sitter här och fantiserar . . .

Man borde väl göra i ordning lite grann, diska, städa upp, men var ska man börja? Och vad ska det tjäna till?

Nej – det duger inte att bara ge upp; hur är det nu Oscar brukar säga: även det du underlåter att göra är en politisk handling! Beslutsam går hon till skänken och hämtar blyertsstumpen och böckerna han lånat henne. Hon har lagt ett stycke näver som bokmärke i den svårlästa luntan.

"Kvinnornas konkurrensstrid... Därav är följden den, att kvinnor i allmänhet komma sämre överens med varann än män göra... Härpå grundar sig också den iakttagelsen, att, där tvenne kvinnor mötas, de betrakta varann som två fiender..."

Jo, det kan nog ligga mycket i det. Men hur ska det bli en gång, i frihetens värld? Hon bläddrar fram för att läsa om de välbekanta orden.

"Kvinnan i det nya samhället är, socialt och ekonomiskt, fullkomligt oberoende; hon är icke mer underkastad något som helst herravälde eller förtryck; hon står gentemot mannen såsom en fri och likaberättigad individ, vilken är sitt eget ödes härskarinna..."

Jo, det låter nåt det, bara det inte var så många svåra ord. Hon öppnar det orangeröda häftet och börjar pricka för med sin söndertuggade penna, ty klassmedvetande förutsätter kunskap om Våra Vanligaste Främmande Ord, säger Oscar Hesekiel. Det är så här en lär sig det som verkar svårt och abstrakt. Abstrakt, overkligt, ogripbart, svårfattligt. Abstrus. Abstinens, avhållsamhet, kyskhet. Apatisk, håglös, känslolös, slö, likgiltig, försoffad, okänslig... Alkoholist, ja... Amnesti, benådning för förbrytelse, glömska av det förflutna...

Den trötta tanken förlorar sitt grepp, blickarna börjar irra över rummet...

Som hon har kletat ner sin klänning, Agnes Karolina, det måtte vara körsbärsfläckar, ja, nu står det vilda körsbärsträdet med tyngda grenar där borta i skogen. Nog är det konstigt. Ensam står hon där bland granarna, och ändå det högsta trädet av alla, alltid lika rik i sin vita blomning, alltid lika givande och fruktsam. Vad skulle inte det trädet kunna ge, om det bara hade vuxit i annan jord och fått en smula ans och vård?

Lortig i linningen är den också, och lera i fickorna efter alla stenar hon släpar med sig. Kanske man kunde låna lite grönsåpa av Agda?

Chimär, stavas även chimère, drömbild, inbillningsfoster, hjärnspöke. Christian science, en religiös rörelse från Nordamerika, som anser att sjukdom och nöd kunna botas genom tron på deras obefintlighet. Uttalas kristtian sajens. Undras om det inte är det som Olga i Näsby håller på med? Nej, det är Filadelfia hon har börjat med, sen pojken strök med. Sajens, det är nog sak samma som baronessan roade sig med, borddans och lägga stjärna och så... Depravation, svårt sedefördärv. Desillusion, missräkning, gäckad förväntan. Dilemma, trångmål, klämma...

Dörren till kammaren går kvidande upp av sig själv, liksom en stilla vädjan – kom, Signe, och se efter dina barn...

Så lugna andetag när barnen sover, och slutna ögonlock, nu slipper jag din hårda blick, min dotter...

Spetsiga bröst börjar redan puta under linnet, ja, snart får jag väl ta mig tid och prata med henne om sakerna, om inte Märta redan har gjort det, och så måste hon sticka sig bindor, jag tror jag har kvar en härva ljusvekegarn, jo, du Berit, snart får du känna på hur pass roligt det är . . . Nora Zetterlind, det bortskämda spektaklet, hon ligger till sängs fyra dar i månaden och är opasslig och inte riktigt kurant, som det heter på fint språk, fyra dar i sängen, jo, det skulle just smaka . . .

Men som hennes tänder ser ut . . . Det är det här evinnerliga kaffebröt, men vad skulle hon annars äta. Svårt för en flicka, om hon inte kan skratta och grina opp sig för pojkarna. Men löständer är ju inte att tänka på för en trettonåring, det får hon allt spara ihop till själv, bara hon kommer ut och tjänar . . .

Och Agnes Karolina med armarna över huvudet, hon är ännu ett barn och ändå har hon börjat försvinna för mig. Går mest för sig själv i sina drömmar, leker tyst för sig själv med värdelösa ting, som i hennes händer blir till ädelstenar . . .

Nu sover allt, och bara jag är väntande och vaken. Så varmt och kvavt i kväll, det skulle lätta med ett regn. Om bara jag visste, om bara jag var ense med mig själv. Vad är det som jag vill? Jag vill och jag vill inte.

Myggor och fjuniga nattflyn svärmar kring glödlampan, törnar till det brännande glaset och studsar tillbaka.

Allt verkar så enkelt, när Oscar Hesekiel förklarar, och våra vanligaste främmande ord trillar som ärtor ur munnen på honom. Emancipation. Socialism. Dialektisk materialism. Dialektisk? Dialektik, bevisföringskonst, skicklig eller spetsfundig bevisföring. Dialektiker, en som är skarp och snabb i bevisföring eller bemötande, jo, det kan ju stämma någorlunda bra på Oscar . . . Dialektisk, hårklyvande... Det var besynnerligt. Det kan då aldrig stämma. Materialistisk, jordbunden, krass... Spetsfundig jordbundenhet eller krasshet, det måste vara fel. Det måste vara tryckfel.

Nej, jag orkar inte tänka, jag är så trött... Undras hur länge jag har fått vänta. Vänta och vänta och vänta, det har aldrig varit nåt annat. Som om han vore värd att vänta på...

Undras vad Märta hålls med i natt, och vem hon är i lag med...

Granskogen utanför drar ett djupt andetag, kanske ett förebud om regn.

Hur mycket är klockan? Säg det. Väckarklockan har som vanligt gått i stå. Men tiden stannar inte för det, jag upphör inte att åldras, min kropp hör inte upp att vissna. Och det finns ingen väg tillbaka in i den starka, unga kropp, där jag vilade lycklig och trygg. Elden har gått ut i spisen, sak samma, det finns ju ändå inget jag kan bjuda honom på. Och där på väggen, hej tomtegubbar slå i glasen, rusiga rödnästa gubbar i ryckig och vinglande ringdans, den bilden gör mig ängslig. Men vad är det egentligen jag vill...

Det händer att jag drömmer om ålderdomen, en annan ålderdom än den som jag kan hoppas på, en fin och prydlig ålderdom, en sirlig liten gumma med kroppen fint förtorkad som en pressad blomma. Sitta fin och nätt med broderit vid krukväxterna i fönstret: Kristi kors, pelargon och Flitiga Lisa, med fromma språk på bonader längs väggen, färgklara trasmattor på fejat skurgolv, och på byrån barn och barnbarn i otaliga fotografier från bröllop och konfirmation. Och en gång i månaden vandrar man svartklädd och putsad till posten för att lyfta sin knappa men lagoma pension...

Och i den drömmen finns det ingen plats för honom som jag väntar på...

Men jag kan inte tigga mer av mamma, hon tar sig rent för när...

Nej, det tjänar inget till att vänta längre, lika så gott en kommer omkull. Hon lyfter locket av kökssoffan och lutar det mot väggen... River lite håglöst i sängkläderna... Och denna fläckiga, urblekta bomullsklänning, när fick jag senast nåt nytt, men Brunzéns flickor, dom går klädda som prinsessor... Hon famlar efter knapparna i ryggen: han brukade hjälpa mig med det, när vi var unga och hade brått i säng... Hon kavar och drar i klänningen, och när hon äntligen fått den över huvudet...

Där är han, där står han i dörren. Han har smugit sig in med skorna i handen, som han alltid brukar göra när det vurti lite sent, som han kallar det...

Vad han är sig lik... Eller ser ännu yngre ut, nu när han är rakad och klippt... Han har låtit mig vänta så länge, och blank i ögona är han, inte riktigt nykter, och ändå... En rår sig inte själv. O, du oresonliga, vettlösa kärlek, som kramar mitt hjärta i din hand... Det är väl för det att han är sig så lik, som han var för många år sen, den där första natten i hagen, då jag visste allt, långt bortom tvekan och frågor...

– Jag såg att det lyste, men... Jag visste ju inte om du sov?

Tackolov att han inte är redlös. Hon blir häftigt glad åt denna måttliga berusning, måttlig nog att kunna fördragas och förlåtas.

– Du är dig lik?

– Och du...

– Jag tror du har fått bättre hull sen jag var och hälsa på dig?

– Dom har väl gött mig, innan jag skulle ut... Jo, jag köpte med mig lite kaffebröd i Stockholm. Om det inte är för sent?

Och han håller fram sin gåva, en söndrig, misshandlad papperspåse, översållad med flottfläckar, en påse kaffebröd...

– Tack, det var snällt... Och hur har du haft det?

– Det har väl varit någorlunda. Jag har mest repat drev sista tiden, av ankartross... Och du själv då, hur har du haft det?

– Det har gått en dag i sänder...

– Ja. Jo, jag skulle väl ha kommit hem lite tidigare, men hur det var så träffa jag gubbarna nere vid tåget... Och det ena med det andra... Men jag har pengar kvar. Och jag fick en klocka av en plit, den kanske går och laga...

Där står han nu med sina försoningsgåvor: en flottig påse kaffebröd och en söndrig klocka.

– Bry dig inte om det där nu.

– Signe, för helvete...

Och hans runda, hjälplösa pojkansikte förvrids av en hopplös grimas, och han går fram till henne och klänger sig fast som ett barn vid sin mor. Skrytet, lögnerna, undanflykterna, allt har han glömt inför detta ansikte, inför dessa ögon, som ser allt, vet allt, genomskådar allt och ändå förlåter. Och han gömmer sitt ansikte vid hennes hals, för att hon inte ska se, och han viskar smekord, som kommit tillbaka i minnet från länge sedan. O, du oresonliga, vettlösa kärlek, som kramar mitt hjärta som ler, och hela min varelse är visshet, långt bortom frågor och tvekan ...

Och nu löser sig äntligen naturens ängslan, och det länge efterlängtade regnet börjar viska och mumla på taket med vänliga röster.

– Signe, för helvete ...

– Du ...

– Det behövde väl inte vara så här ...

– Nej, inte prata ... Det är så sent. Du måste i säng.

– Signe ...

– Du väcker barnen. Kom nu. Kom ska jag hjälpa dig.

Och hon klär av honom som man klär av ett barn och hjälper honom ut ur skammens och skuldkänslans lumpor, hjälper honom till nakenhetens oskuld, hjälper honom att frimodigt gå in i hennes famn, i hennes kropp, och hon är vild och djärv av sin oresonliga kärlek ... Signe, vad är det du vill? Anar du inte, att denna sommarnatt ska störta dig i ett än djupare elände, att det bara är ett bortskämt barn du ägnar din kärlek, att de portar du öppnar för din älskade snart ska falla i lås om ditt kvinnoödes fängelse ...

Men Signe är långt bortom alla frågor, och hela hennes varelse är visshet. Hon ligger med den sovande mannens huvud vid sitt bröst och lyssnar till sommarregnets vänliga viskningar på taket. Det får gå som det kan, tänker hon. En rår sig inte själv. Och hon vilar så lugn och trygg i sin kropp, som en fågel vilar i sitt rede.

5

I Stadshotellets övervåning står redan virabordet dukat, när herrarna träder in efter en tidig middag. Pullan tronar mitt på spelbordets gröna filt omgiven av punschglas och kaffekoppar. På ett sidobord står herrarnas konjaksransoner i karaff och en immig helflaska Karlshamns flaggpunsch i silverkylare med saltad is. Sill-Selim knäpper sina mjuka händer i from förväntan, Lundewall grymtar och tänder en tjärbrun Flor de Brasil, Müntzing nickar ett motsträvigt bifall och går fram till fönstret för att överblicka kommersen på Trosa torg. Men handeln har redan börjat ebba ut. Trädgårdsmästaren på Gieddeholm har låtit montera ned sitt stånd, och dirigerar med myndiga gester drängpojken, som ska köra hem hans fordon. Nu återstår vid Axbergs hörna bara en ensam kvinna, som med hopplös envishet håller stånd bakom ett par spånkorgar med färskpotatis, körsbär och rädisknippor. En och annan stockholmare stannar till för att betrakta henne, med nyfikenhet och ömkan, som man ser på ett djur i bur.

– Vad är det där för käring, undrar Müntzing. Förefaller bekant.

– Det är Rävfarmarns Hilma, upplyser Lundewall. Varicer på underbenen, inlägg och stödbandage ...

– Har hon gett sig till torgkäring?

– Rävfarmarn är på kneken, upplyser Sill-Selim, medan kortlapparna yr ur hans vana händer. Müntzing har förhand, får jag be om ett bud.

– Det är gott om stockholmare i år, säger Müntzing och sorterar sin hand. Det är lustigt. Skåningar och lappar, norrmän och danskar, likmycket var dom kommer ifrån, alla kallas de stockholmare. För den infödda befolkningen ett kvalificerat skällsord. Begär!

– Vingel sex, gormade Lundewall, som alltid en vådlig hasardör. Selma! Fan att människan inte kommer med kaffet...

– Jag gaskar på noll, viskade Sill-Selim blygsamt.

– I och för sig är det ju minst av allt att förundra sig över, förklarade Müntzing. Stockholmare. Vad gott kan komma från Stockholm? Kungliga befallningshavande och kungliga knektar, utbölingar ofta nog, tänk på Erik av Pommern, Albrekt av Mecklenburg och Gustaf Vasas tyska landsknektar, knektar som plundrade och roffade och strödde horungar omkring sig, och sen alla utländska herremän under stormaktstiden, som skulle belönas med gods och gårdar och skattebönder...

– Bjud, för helvete, karl, och sitt inte och docera, gnisslade Lundewall.

– Och inte är det bättre i dag. Nå, nu ska vi se. Vingel sex och gask på noll, herrarna är på stridshumör i dag... Tack, lilla Selma, ingen silkeshare, jag nöjer mig med punschen... Jag bjuder köpmisär på ett.

– Vingel sju, exploderade Lundewall, och tömde en silkeshare, punsch broddad med konjak. Bjud, för helvete, bjud!

– Om man skulle våga gaska på ett, framviskade Sill-

Selim en retorisk fråga och sökte svar med blicken i takets gipsornament.

– Och det är likadant i dag, fortsatte Müntzing obevekligt. Sörmlänningarna har aldrig fått rå sig själva, provinsen är de stockholmska makthavarnas privata lekhage, se bara vilka styresmän dom skickar hit. Sörmlänningar? Aldrig i livet. Landshövdingen är från Uppsala och biskopen från Lund. Landskamreraren och domprosten...

– Få se om jag inte blir galen, sa Lundewall och expedierade sin tredje silkeshare. Bjud, människa! Bjud!

– Tänk på blodtrycket, bäste bror. Nå, det här tål att tänka på... Stockholmare, alla turister och dagdrivare kallas stockholmare, och huvudstaden är ett tärande kräftsår i provinsens sida. Till Stockholm skickar man skattepengar, slaktdjur, spannmål och sin friska ungdom, och vad får man i gengäld?

– Bjud!

– I gengäld får man byråkratiskt förtryck, inflationspengar, krimskrams, och som horor, syfilitiker och kriminella vänder de unga tillbaka... Köpmisär på två!

– Vingel åtta, röt Lundewall, febrig av hasarden.

– Jag gaskar på tre, insisterade Sill-Selim med sin milda stämma.

– Men trots denna avsky för stockholmarna, fortsatte Müntzing utan miskund, trots denna avsky är sörmlänningen samtidigt rädd för alla stockholmare, ty Stockholm är nu en gång för alla maktens och förtryckets hemort. Amanuenser och aktuarier i verken, som ligger på sommarferier i Sörmland, finner sig behandlade som kungliga personer: de bär ju något av makten i själva sina besynnerliga titlar ... Och till och med den här bordellpappan Brunzén bemöts med en aktning, som inte ens kommer dig till del, så provinsialläkare du är ... Seså, Lundewall, inte ska du reta upp dig till hjärnblödning i blomman av din ålder ... Vingel åtta, gask på tre, herrarna bjuder högt, men skam den som ger sig ... Jag bjuder köpmisär på fyra ...

– Tringel nio, exploderade Lundewall, lättad av det vilda hasardbudet, som han redan anade vara förhastat.

– Pass, viskade Sill-Selim.

– Ävenledes, sa Müntzing. Märkvärdigt vad det kan vara lätt att få bror att hoppa i galen tunna?

– Spader, spader, klöver, tringlade Müntzing upp tre kort ur talongen. Var i helvete håller hjärterna hus? Jag tringlar om!

– Jag förmodar att inga goda råd kan avhålla bror från att tringla ända till dödsknäppen? Nå, då vill det till en koleraepidemi för att få brors finanser på fötter ...

Men Lundewall tringlade vidare sin vana trogen, ända till dödsknäppen, som befanns vara en ruterhacka. Han gick kodilj på spelet och fick betala etthundratjugo betar i pullan.

– Bjuder du misär på dom korten och med håll i hjärter, kved Lundewall.

– Människan tror vad hon vill tro, filosoferade Müntzing. Och när nu bror prompt ville tro, att det fanns multum i talongen, då vore jag väl dum, om jag inte styrkte denna fromma förhoppning medelst ett tämligen ogrundat misärbud.

– Hur fan ska man klara upp det här, suckade Lundewall och blickade ner i plånbokens tomma krokodilgap.

Jag får väl göra en växel?

– Inte i min bank, sa Müntzing syrligt. Det får vara måtta på vänskapen. Inte med mindre du får Lille-Lars eller Lönbom att skriva på dina papirer. Nu får du nog ta skeden i vacker hand och sälla dig till Handlarns klientel.

– Satans tjyv och rackarspel...

– Tala inte illa om viraspelet, sa Müntzing strängt. Har inte bror ett uns patriotism i hjärterötterna? Vira är vårt enda inhemska spel och en charmant spegel för vår nationalkaraktär och vårt samhälle. Först budgivningen, som är allas krig mot alla, där det mer går ut på att försätta medspelarna i omöjliga kontrakt än att bjuda själv. Efter rundpass ingås en temporär allians, för att få spelföraren bet och kodilj. Vira är avundsjukans och den snikna individualismens spel och passar det svenska folket förträffligt. Spela vira, varer svenske!

– Jag är östgöte och bättre svensk än ni, satans sörmlänningar... Sörmlänningar! Detta rasbiologiska bottenskrap, produkter av kirgisers och kalmuckers våldtäkter under ryssinvasionen 1719... Jag är åtminstone arier.

– Bäste bror får ursäkta, sa Sill-Selim saktmodigt, men nog börjar det bli lite fjolligt med denna evinnerliga rashygien...

– Fjolligt! Vad skulle du själv säga om din dotter ville gifta sig med en kalmuck?

Sill-Selim ryckte till som för ett slag. Lundewall hade i vanlig tanklöshet vidrört hans inflammerade sår: dottern Nora och hennes evinnerliga bröllopsbesvär. Nora är ju vacker som en dag, hennes proportioner är den havsskumborna Afrodites, och hon har både hemgift och arv att vänta. Enda problemet är, att Noras skönhet är tilltagen med gigantiska mått: hon väger hundra kilo och är två meter lång. Hon inger vördnad, bävan, fasa, som alla storslagna naturfenomen. Hon är enastående, outhärdligt vacker, men hennes skönhet tycks inte vara avsedd för dödliga män, utan för halvgudar och titaner. Annars är det ingenting märkvärdigt med Nora, hon är en stark och frisk flicka med ett skratt ekande som åska över berg och backar. Läshuvud har hon väl knappast, och det var med gråt och tandagnisslan hon tog sig igenom flickskolan och diverse giftaskurser, som skulle lära henne tala franska och spela piano. I ett vettigare samhälle än vårt skulle hon bli en rejäl bondkvinna, hennes starka kropp begär inte bättre än att bära barn och tunga arbetsbördor. Men nu måste hon giftas gentilt, gubevars. Men hur än Sill-Selim bjuder hem unga ämbetsmän och ruinerade löjtnanter och låter dem glutta i aktieportföljen och bankboken, lyckas han ändå inte få sin junoniska dotter bortgift. Ungherrarna skakas i hjärteroten redan vid presentationen, då Nora, upprörd av naturliga begär, mosar deras händer i sitt hjärtliga handslag, deras viljekraft urlakas än mera, när Nora vid supén lägger in en fjärde portion av kalvsteken och krossas definitivt, när hon vid kaffet slår pianoklaviaturen i flisor och sjunger Griegs ”Jeg elsker dig” med sin dånande alt. Och knappt har Nora hunnit anförtro sin Kära Dagbok, att hon tror att Artur (Georg, Johan, Fredrik, Urban, Peter) hyser en böjelse för henne, som är starkare än vänskap, så tar Artur (Georg, Johan, Fredrik, Urban, Peter) sin mats ur skolan, lägger benen på ryggen och lämnar Nora åt en gigantisk sorg, som fyller hela ämbar med tårar och får halva Sörmland att genljuda av klagoskrin. För bönder och andra arbetande människor i Hedeby ter sig detta krångel smått obegripligt. Flickan verkar ju frisk och stark och glad och arbetsvillig och har pengar desslikes, vilken vettig karl skulle inte ta henne till äkta och tacka på köpet? Men bondkäring får hon inte bli, gubevars, hellre får hon sitta på glasberget till domedags otta.

– Begär, sa Lundewall smått generad över sin fåt. Ähum, som sagt.

– Sjuspel, sa Sill-Selim med bruten röst, inom sig begrundande möjligheten att få en kalmuck till måg. Ja, varför inte, hellre det än ingen alls . . .

– Ja, nu ska vi se, mumlade Müntzing och sorterade sina kort med händer som skalv av sadistisk sinnesrörelse. Sill-Selims plågade reaktion hade varit alltför njutningsrik för att inte fresta honom att sänka ännu en förgiftad dolk i den saktmodige mannens försvarslösa bröst. Nu ska vi se . . . Apropå, bror Zetterlind, hur är det, får man gratulera till vasatrissan ännu, eller . . .? Dagen efter ordensregnet sökte jag förgäves efter ditt namn i Svenska Dagbladet, men det måste väl vara tryckfel? Jag menar, så mycket pengar som du har lagt ner?

– Nu får det faktiskt vara nog, viskade Sill-Selim och lade korten ifrån sig. Herrarna får ursäkta, men det finns gränser . . .

– Du menar att vi ska ta en grogg, försökte Lundewall rädda situationen. Selma! Ro hit med groggbrickan!

Müntzings skamgrepp var givetvis oförlåtligt. Som alla vet, är Selim så besatt av åtrån efter vasatrissan, att han drabbats av färgblindhet och ser hela världen i grönt. Redan 36 beställde han på accidenstryckeriet brevpapper och visitkort med texten ”Dir. Selim S. Zetterlind, RVO”, och det sägs att han redan inköpt och lagrat en gravsten i porfyr med följande inskription.

Här vilar
Direktören och Riddaren
Selim Salomo Zetterlind, RVO
född 6 juni 1888, död . . . . . .
”Saliga äro de saktmodiga, ty de skola besitta jorden”

Men tyvärr eller lyckligtvis har Selim ännu inte fått bruk för dessa den drömda ärans yttre attribut, ty hans donationer och investeringar har en faslig benägenhet att slå fel. Tänk bara på den här donationen till en sommarkoloni för fattiga men välartade barn. Den generösa gesten väckte välvillig uppmärksamhet och komplimenterades på ledarplats i provinsens samhällsbevarande tidningsorgan. Själve landshövdingen sände handbrev med nådig eloge, och Sill-Selim sam i saliga drömmar om gröna bandet. Vad händer? En mindre samhällsbevarande tidning upptäcker huxflux, att de fattiga men välartade barnen huvudsakligen livnär sig på sekunda böckling, levererad av donator själv, icke utan skälig avans, ty äran borde enligt Sill-Selims enkla filosofi inte vara oförenlig med förtjänsten. Skandalen gav genljud ända upp till Tronen, där majestätet med egen hand behagade stryka namnet Zetterlind från listan över riddare in spe. Sill-Selim sänglades av chocken och försökte kurera sig med toddy, hans hustru förstummades ovanligt nog av grämelse, och Nora hulkade som en mistlur över pappastackarns elände. Varav torde framgå med all önskvärd tydlighet, att Müntzings elakhet var mer än en pik, det var en förgiftad dolk, instucken till fästet i Sill-Selims äregiriga hjärta.

– Herrarna får ursäkta, viskade Sill-Selim med blodlösa läppar. Men det finns faktiskt gränser.

Men den isande tystnaden fick aldrig sitt naturliga utlopp i okvädinsord och blodviten, ty i detta nu seglade Selma in med lastad groggbricka och med stora nyheter desslikes.

– Titta ut genom fönstret, ska herrarna få se. Vi har storfrämmande.

– Av vem då?

– Det är stockholmarn, Brunzén.

– Brunzén, skrek herrarna i trio a cappella och stormade endräktigt fram till fönstret, ty åsynen av denne Brunzén, grosshandlare i kvinnokött, är en sensation som kan få alla tvistigheter att förfalla.

Och nog är han värd att begapa, Brunzén, där han vankar fram över torget i spetsen för sin procession av magdalenor, mellan dubbla led av gloende trosabor, medan magen, vaggande som en flodhästmule, pekar ut riktningen till Stadshotellets lövhyddor och svalkande kurbitser. Brunzén är skrudad i en storrutig sommarkostym i senapsgult och karmosin, och de ömma, svullna fötterna har han skott med violetta sammetstofflor. Med knubbig, juvelsmyckad hand för han en röd snusnäsduk till sin svettblanka panna, och hans framträdande, blodmarmorerade ögonglober är fixerade vid Stadshotellets skylt med apoplektisk koncentration.

Efter Brunzén följer hans icke lagvigda hustru, röd och violett som en fettsiktig kardinal, och sedan de åtta flickorna efter ålder och rang, en grotesk procession i denna stilla och sedesamma stad. Här är ansikten som erinrar roquefortost och uppgrävda lik, febrila ögon, läppar som blödande sår och klädedräkter à la paradisfågel och kakadua. Den allegoriska processionen – Fråsseriet och Fru Lusta med uppvaktning – slingrar sig mödosamt in i hotellträdgården och försvinner som en brokig svans i blå paviljongen.

– Öl, råmar Brunzéns hesa röst ur paviljongen, och Selma har strax levererat pilsner över lag, medan kock och kallskänka går i författning om extra smörgåsbord. Fru Brunzén lyfter floret på sin värdiga hatt och halsar en lager, med all den grace som anstår en dam av värld. Och självaste källarmästare Lönbom förfogar sig till paviljongen för att göra sig underkunnig om de indräktiga gästernas önskemål.

– Mera öl, grymtar Brunzén. Och hans duvna fåglar har så smått kvicknat till av förfriskningen och börjar kvittra och kraxa inbördes.

Hedebyborna trodde till en början, att Brunzén bara var en vanlig och ordinär stockholmare på grönbete, låt vara att man fann det ovanligt med så många döttrar, systerdöttrar och brorsdöttrar, alla lika pråliga, sminkade och hålögt lastbara till det yttre. Men annars betedde sig herrskapet Brunzén som stockholmare brukar, kallade havren för vete och kvigan för tjur, förutsatte självklart att alla infödda var kretiner, som borde tilltalas med barnspråk och teaterdialekt, tände halmstackar med cigarrglöd, glömde grindar öppna och släppte korna i klövern, gormade över Handlarns varor och priser, hunsade Lönbom och toppred Selma, stackarn, som alltid tar vid sig. Ja, Brunzéns föreföll på alla sätt vara ordinära stockholmare, och alla vi hedebybor bemötte dem med aktning.

Och ändå . . . Låt vara att herrskap och stockholmare kan bete sig ungefär hur galet som helst, men nog var det nånting på tok med Brunzéns, vad det nu kunde vara . . .

Men allt vårt töckniga grubbel kring herrskapet Brunzén skulle med ens ta kropp och gestalt, sen Tore i Skällsta en dag hade bevittnat deras gemensamhetsbad i Gieddeholmsviken. Efter upplevelsen var Tore blå om läpparna, blek i syna och rystande som av fallandesjuka, men följande fakta kunde sammanfogas av hans stammande berättelse.

Sjungande en munter gånglåt över daggstänkta berg, fallera, hade herrskapet ringlat sig ner till badstranden i sedvanlig procession, lastad med badlakan, parasoller och rågade matsäckskorgar. Framkomna hade damerna dekolleterat sig in på bara skinnet och därpå klätt av Brunzén med gemensamma krafter. Brunzéns nakna lekamen hade de därpå rullat över på ett badlakan, som en presssylta i en handduk, varpå de kånkade ut med Brunzén och tre gånger doppade honom i den uppfriskande böljan. Brunzén skall därvid ha uppgivit vällustigt genomträngande skrik, som en kittlad piga. Den sålunda vederkvickte direktören bars därpå upp på stranden, inpackades i badlakan, skuggades av parasoll och förságs med en tänd corona. Därpå vidtog damernas eget bad, en lekfullt skrikande och plaskande ringdans av vitt, vaggande hull, fläckat av talrika blåmärken, som fick Tore att tänka på höstens fallfrukt under astrakanträdet. Brunzén hade belåtet grymtande bevittnat tvagningen, som en åldrig valrosshanne på en klippa. Slutligen hade han uppgivit ett befallande böl, varvid damerna störtade upp ur vågorna för att betjäna sin herre på ett sätt, som helt trotsade Tores ordförråd och berättarförmåga.

Efter orgien intogs vickning av medhavda smörgåsar, öl och otaliga badsupar.

Det var en lastbarhet som fick hedebybornas förstånd att stå stilla. Åtskilligt kan en väl vänta sig av stockholmare – men detta! Olle i Vreten, som legat på anläggningsarbete i Lappland, anförde korpelasekten som möjlig parallell, och höll för sin del troligt, att Tore kommit att bevittna ett utbrott av den religiösa hänförelse, som norröver kallas "liikutuksia". Men herrskapet Brunzén verkar ju alltför solitt gudlösa, för att den hypotesen skulle slå an.

Förklaringen gavs av Pärsy, när han något senare kom hem på permission. Han kunde genast identifiera fyra av Brunzéns brorsdöttrar som yrkesmässiga utöverskor av skörlevnad i ett nöjesetablissemang på Söder. Fru Brunzéns identitet kunde han styrka medelst ett fransyskt foto, taget i yngre dagar, uppvisande den värda damen i parterrbrottning med två svartmuskiga herrar.

Skandalen rasade som en skogsbrand genom Hedeby. Alla var ense om att något borde göras – men vad? Glödande av nyfikenhet skyndar sig berättaren att avlyssna bygdens reaktioner.

– Ska man få handla och kommersa med kvinnor som man handlar med fläsk, sa Signe. Fy fan, ett sånt samhälle.

– Men nya kläder har dom mest varenda dag, funderade Märta. Och gott om pengar har dom.

– Vad ska dom med sina fina kläder, när dom en gång blir gamla, undrade Karolina. Egentligen så är det synd om dom, när en väl tänker efter.

– Vad flinar du åt, egentligen, sa Olga i Näsby till sin make. Det här är ju vederstyggligt, och Brunzéns borde skickas i väg, ju förr dess hellre.

– Vad vill ni jag ska göra, sa Eskil i Hunga. Dom betalar ju hyra för stugorna utan att bråka, och vad dom hålls med i viken angår ju inte mig?

– Gud så avskyvärt, skrek Nora Zetterlind med sin dånande alt. Och tänkte i sitt stilla sinne: många karlar eller ingen karl alls, vem vet vilket som är värst, strängt taget ...

– Gör dom det mot betalning, sa Elon konfunderad. Det var besynnerligt. Då skulle man ju bara behöva lite pengar ...

– Får jag be om lite frisinne och tolerans, sa källarmästare Lönbom. Så lönsamma gäster har jag inte haft på år och dag.

– Tolerans, ekade Handlarn och saltade på speceriräkningen till Brunzéns.

– Egentligen borde det vara min plikt att ingripa, sa kyrkoherde Ahlenius. Om jag bara kunde lita på vår fjärdingsman?

– Kära pappa, sa Oscar Hesekiel, du vet lika bra som jag att du inget kan göra. Fjärsman är naturligtvis lika korrupt som alla andra kungliga ämbetsmän, och all den indignation som hans bestickighet väcker, beror bara på att han säljer sig för billigt. Själv representerar du en kristen moralism, som är dömd att stryka på foten i kampen mot de ekonomiska intressen, som den värde Brunzén företräder. Om prostitutionen visar sig lönsam kommer också detta liberala samhälle att producera apologeter för prostitutionen, liberala intellektuella, liberala politiker och kanske också liberala teologer, som alla bedyrar att horeriet är nyttigt och bra och i allo förenligt med ett upplyst och fördomsfritt tänkesätt. Två dina händer, kära pappa, det är faktiskt allt du kan göra...

– Varför måste du alltid vara så hjärtlös, undrade kyrkoherde Ahlenius och betraktade sin son med tårfyllda ögon.

Ja, det var en skandal, och för inga var den mer kärkommen än för Avskummet: Stora Småland, Ville Vingåker, Olle i Vreten och Svensson, som under ivrigt öldrickande stötte, blötte, tuggade och sög på sensationen, tills den vart som ett stycke urkokt buljongkött. Rävfarmarn, som numera gästspelar vid Avskummets stambord av och an, fann till slut den förlösande repliken.

– Fan, vad ni går på, sa han utråkad. Vad är det för underligt med det här? Brunzéns är ju stockholmare, och av såna kan man vänta sig ungefär vad som helst.

Och så kom också Hedeby att sammanfatta sin bedömning av händelsen: ja, visst är det en ohygglig skandal, men vad annat kunde vi vänta oss? Brunzéns är ju stockholmare, gunås...

Stockholmare!

6

Nog är det rent onaturligt så varmt det vart det här året, ackurat som sensommarn 1914, och även i år likar det sig till att bli krig, av många tecken att döma... Krig, ja, då blir det goda tider för bönder. Det var rent obegripligt vilka priser en kunde få på spannmål och slaktdjur och potatis di där åren, då kunde en ha lagt undan en vacker slant, om nu inte Abraham hade varit så förtvivlat rättrådig och i nåden bevarad, att han inte ville släppa in en gulasch i farstun ens en gång... Så fick vi gå från gården också, när svagåren kom, och barna som for till släkten i Amerika, och Signe som fick det som hon kunde: det är så rättrådigheten belönas i denna obegripliga värld...

Men så varmt som det är i dag hade jag inte behövt koftan, ens.

Kritvit och förstenad brinner solen på en klarblå himmel, men värmen är så kvävande tung att en nästan blir ängslig: måntro om det inte drar ihop sig till åska...

Hon blir stående i skuggan under åldriga lönnar och askar på Hedeby kyrkogård, Karolina Styf, Abrahams änka, en böjd, förtorkad gumma i lackerad stråhatt, småmönstrad violett klänning och bruna bomullsstrumpor, skrynkliga och korviga på de avmagrade benen. Koftan bär hon över armen och i handen en psalmbok, invirad i vit näsduk. Värken i sidan har lindrats en smula av Sloanes goda liniment, men vandringen och värmen har ändå sökt henne så pass, att hon beslutar sig för att gå in i kyrkan för en stilla stund och lite svalka.

Så förunderligt stilla och svalt.

Därute brinner livets heta färger, och jorden ångar av alstringens värme, men här är svalka under vita valv, en kylig andedräkt ur Dödens lunga. Här är jag hemma, här är jag Abraham nära ...

Av gammal vana söker hon sig in i ett bänkkvarter på norrsidan, kvinnosidan, och hennes skumma, gulnade ögon famlar över de röda målningarna på den kalkvita kyrkväggen. Mitt i väggfältet står Jesus själv mellan två processioner av unga kvinnor. Till höger bär kvinnorna brinnande lampor med rena lågor, till vänster omvända, rykande, släckta, och Jesus tar den första högerkvinnan i näven för att hälsa välkommen ska du vara. Den första kvinnan till vänster står övergiven och slokar med huvudet, och hon erinrar på nåt besynnerligt sätt om Märta, ovisst hur ...

Och där under predikstolens tak bilden av en vitmålad duva, som om fågeln med spända vingars flykt försökte lyfta locket av en burk.

Och där på en hylla i väggen sitter träbelätet av den heliga Anna, själv tredje, med Maria i krona på vänster knä och Jesusbarnet på höger. Jo, nog borde det vara Jesus, i vicket fall, men trämasken har gått så hårt åt hans ansikte, att ingen människa kan avgöra, hur Världens Frälsare ser ut. Karolina kan gott erinra sig den tid, då bilden ingick som en del i det väldiga, förgyllda altarskåpet, som på nittiotalet ersattes av den handmålade oljefärgstavlan från Nürnberg, en givmild donation av gamle baron Urse på Valla. Baron fick själv plocka åt sig de bäst bevarade bilderna som ett litet minne, resten gick till vedbrand i fattigstugan. Bara den heliga Anna undgick förödelsen.

Nog är det ett besynnerligt beläte?

En vet inte riktigt vad en ska tycka? Fast en gunås borde ha annat att tänka på så här i helgedomen...

Karolina har alltid känt sig tvehågsen inför bilden. I och för sig är det väl bara riktigt och rätt, att även en helig mormor hedras med bildhuggerier, men hon kan inte finna det rimligt, att Anna är så ung och jungfruligt vän under det sirligt skurna trädoket. Inte ens ett herrskapsfruntimmer skulle kunna hålla sig så där slank och vacker som mormor, och Karolina tror sig veta, att heliga familjen inte var herrskap. Bilden är inte gjord på riktigt, den är gjord på vackert, och detta finner Karolina förkastligt, varför kan hon inte själv reda ut.

Nu skjuter hon alla fåfänga funderingar åt sidan, lutar huvudet i händerna och försöker komma i stillhet och andakt. Men Karolina, denna mycket jordiska kvinna, har nu som alltid så förtvivlat svårt att samla tankarna på sin Skapare och Gud, och nu som alltid går hennes tankar till det egna jordelivet, till dem hon en gång älskat och dem hennes omsorg och kärlek ännu kan nå. Hon borde höja sitt huvud för att blicka in i gudomens ljus, men ännu en gång ser hon ner i vardagen och sitt eget liv. Karolina ser ner i sitt liv som i en brunn, murad av gråa arbetsdagar, här och var övervuxna av sammetsgrön mossa, och längst nere kan hon skönja den klara silverskivan av levande vatten, den kärlek till Abraham och barnen, som läskat och vederkvickt hennes liv.

O, Gud, giv oss döden i rättan tid, varför måste vi alltid gå hädan för tidigt eller för sent ... Det var en tid, då vi växte tillsammans som grenar på samma stam, då vi var för varandra som bröd och vatten och luft, då han vaknade och somnade med huvudet på mitt bröst, då min sista syn på kvällen och min första på morgonen var dina ögon, du käre, du vars ögon sen länge multnar i graven därute ... Ja, hade du dött den tiden, då hade du kanske dött i rättan tid. Ja, visst hade jag sörjt dig som ingen, din död skulle ha varit som att slita en lem från min kropp, och ändå hade jag då kunnat säga: Herre, jag har smakat fullkomligheten, ske Din vilja, jag underkastar mig det, som enligt livets lagar måste vara fullkomlighetens pris. Men Du lät honom leva, och levande dog han bort ur mitt liv. Det var när han vände sig till Skriften och vart en from och helig man, och därmed började han också misstro vårt liv tillsammans, misstro det han kallade sin egen svaghet, och ibland när jag sträckte mig ut efter honom, kunde han ge mig en blick som gjorde mig illa. Han vart en helig man och jag en svag och jordisk kvinna – hur skulle det annars ha gått? Han var givmild och beskedlig, och hade inte jag trätt emellan, så hade han vurti plockad in på bara kroppen. Han tyckte jag gjorde mig för mycket bekymmer om det jordiska, men hur hade det annars gått för oss? Och gick det inte illa nog som det gick? Och hade inte Signe kunnat få en bättre karl, om vi hade haft gården kvar? Lev som fåglarna under himlen och liljorna på marken, bara du inte försöker göra det i Hedeby ...

Du ska inte vara bitter, Karolina ...

Nej, förlåt mig, det bara blir så här, jag rår mig inte själv. Ja, det är sant att han vände tillbaka till mig, men då var han redan så svag och förvandlad, ett hjälplöst barn som skrek av sina plågor. Och knappt hade jag fått honom tillbaka, så togs han ifrån mig för alltid, det var för tidigt eller för sent... O Herre, låt oss dö i rättan tid...

Vem vet om inte också de orden kom för mig, som vi alla yttrar, när vi innerst inne gläds åt en människas död – "det var bäst som skedde". Abraham var ändå så förändrad, så hopskrumpen, förminskad, barnslig, inte längre den jag kände – det var bäst som skedde. Kom inte den tanken för mig, när jag rörde vid hans dödskalla hand? Inte ens den synden gick jag fri från, att glädjas åt en älskad människas död. Det var bäst som skedde...

Nej! Det var inte bäst som skedde, men felet är Ditt, som inte lät honom dö i rättan tid...

Och ändå plågar mig känslor av skuld och skam, som jag sökte köpa mig fri ifrån med en fin begravning och en gravsten, som kunde ha anstått herrskapsfolk. Som om inte Signe skulle ha behövt dom fattiga slantarna, ja, hur jag än försöker blir det galet...

"Jag vill inte underkasta mig och tåla."

Så tänkte jag en gång, för länge sedan...

Så magra och kalla mina händer blivit, ja, halva min kropp har vissnat sen Abraham dog, och på samma gång har mitt trots och min upprorsvilja torkat bort. Jag orkar inte längre trotsa, man måste vara ung och stark för att mäkta stå emot. Ännu någon tid är det kanske möjligt för Signe, innan också hon får ge sig till tåls. Jag vänder bort mitt sinne från all denna världens ondska och orättvisa. Jag ser goda och hederliga människor råka i elände, och jag ser ett patrask som Brunzéns blomstra och må bra, och jag försöker att inget känna och inget tänka. Ja, jag försöker se på världen med barnets tomma, blanka blick, och min enda bön är denna: ge mig kraft att härda ut den tid som återstår. Och ske Din vilja.

Karolina sänder den heliga Anna en undrande blick till avsked innan hon vandrar ut ur kyrkan. Utanför porten blir hon stående med handen för ögonen, bländad av solljuset.

Men vad i all världen... Är det inte Aron som är ute igen och gör sig till ett spektakel och ett åtlöje. Du käre värld.

Ja, det är Aron Pettersson, Urgubben kallad, som dinglar omkring på långa, bräckliga ben bland gravar och kors, ranglar sig fram som en åldrig älgtjur, snokar skumögt och trevar med enekäppen tills han funnit en välbekant grav: en skiva polerad porfyr, en graverad vård av granit eller ett svarttjärat kors av smidesjärn. Han gluttar och påtar med käppen tills han kommit rätt, så börjar han skratta och mumla och piska graven med sin käpp.

– Ja, där ligger du, Adolf, mumlar han. Sörjd och saknad, ja, vaffan har du för glädje av det? Du är död, Adolf, och jag lever. Och ändå var du unga karln, var du. Tjugo år yngre än mig, var du. Men nu är det jag som lever och du som är död.

Ja, du käre värld, se där en människa som minst av allt vill underkasta sig och tåla. Inte nog med att han blivit urgammal och fått överleva hela sin samtid, han måste också smaka av sin triumf med dessa besynnerliga gravskändningar, då han förolämpar sina tigande släktingar och vänner under jorden och piskar deras gravar med käppen för att lufta sin känsla av triumf. Ja, honom har fagerhultarna fått för sina synder.

– Jag lever och du är död, mumlar Urgubben och ranglar vidare bland gravarna på sina sköra, stylthöga hasor.

Urgubben heter Aron Pettersson i sig själv och är farfar till Pettersson i Fagerhult, och Pettersson är ju inte själv nån barnunge precis. När farmor dog, togs han hem från Bälinge och sattes på undantag på vindskammaren. Elin i Fagerhult tycker sig ha fått honom för sina synder. Dagen i ända hör hon gubbens gungstol dundra och gå som ett tröskverk där uppe på vinden. Och skulle hon sinka sig det minsta med mat eller kaffe eller hämtning av slasken, då börjar genast enekäppen dunka som en mortelstöt i taket. Denna förening av snarstuckenhet och hög ålder verkar smått oanständig och mot naturen.

– Du får väl försöka ha fördrag med gubben, prövar Fagerhultarn på att blidka sin hustru. Han är ju nästan nittio år, och då ska det väl inte kunna stå så länge på ...

– Inte dör han i första taget. Honom har man fått för sina synder.

– Det är ju lite retligt att han ska gå till Handlarn och göra sig till ett åtlöje. Och så det här med kyrkogårn ... Jo, visst blir det lite drygt med gubben ibland ...

Men inte ens Urgubbens krafter vill förslå en dag som denna, sommarhettan söker honom, och de rangliga älghasorna har börjat skälva efter den mattsamma triumfmarschen kring de besegrade vännernas gravar. Motsträvigt vacklar han fram till Änkesätet, en bänk av grönmålat gjutjärn i ormbunksmönster, donerad av Trosa stads parkförvaltning. Han rappar motsträvigt den hårda sitsen med sin käpp.

– Jag lever och dom är döda, mumlar han med sina sista krafter.

Så ger han äntligen vika för sin svaghet och kommer till vila på Änkesätet, en sällsam uppenbarelse. Han mätte näranog två meter i strumplästen innan åldern krökte hans rygg, och han väger väl än i dag sina modiga åtti kilo. Han bär storväst av brun manchestersammet över sticktröjan, och de rangliga benen är inneslutna i blå byxor av tjockaste kommisstyg. Han är skumögd, och det halvblinda vänsterögat är täckt av en horngrå hinna. Hans vitskäggiga haka är bred som en förvittrad klippavsats. Allt i allt är Urgubben ännu i sin höga ålderdom mera skrämmande än ömkansvärd.

Nu trevar han i storvästens bröstficka och får upp en liten mässingsdosa, som en gång innehållit tuggtobak av märket Sweetscent. Etiketten är längesedan avnött. Han fumlar valet med sprickiga fingrar, innan han får upp locket. Därpå sticker han långfingret i munnen och känner efter med den fuktade fingerspetsen i dosan: det är så han kan nyttja sina händer att se med. Och nu har han funnit vad han söker. Det lilla guldmyntet finns på plats.

I dosan vilar på en bädd av skär smutsig vadd en guldcarolin med Karl XV:s bild, ett minne från det stora ögonblicket i Urgubbens liv: när han tjänade gardist och gick gevärsvakt i Logården och kungen själv tryckte guldmyntet i hans hand.

Varför fick han myntet?

Han minns det inte längre. Allt som återstår av det stora ögonblicket är osammanhängande minnesskärvor.

Han minns ett fint fruntimmer, som sidenfrasande gick förbi nere på Skeppsbron under ett gult parasoll, ett rasande grant fruntimmer. "Den i sängen och opp med kardusen", hade han tänkt för sig själv.

Han minns en finnskuta som låg och torkade sina bruna segel i augustihettan vid kajen. Han minns ett ilsket rop utan sammanhang och förklaring – "Perkele!"

Han minns en flock vita måsar, som skriande svävade runt över Strömmen.

Han minns hur de kungliga läpparna rörde sig i det svarta skägget för att uttala vänliga och gemena ord, och han minns att den kungliga andedräkten luktade fin bjudkonjak.

Men vad sa kungen?

Varför tryckte han ett guldmynt i Aron Petterssons hand?

Urgubben kan inte längre minnas.

– Jag lever och dom är döda, mumlar han till sin tröst.

Men nu genomfars ledsynens halvdunkel av en mänsklig skugga, och han skyndar sig att gömma mässingsdosan i västfickan.

– Är det inte Aron, som sitter här och . . .

– Är det Karolina, undrar gubben och flackar med sin skumma blick i ett försök att fixera. Jag tror du har gått och tacklat av, unga människan . . .

Karolina sätter sig vid Urgubbens sida. I näsduken bär hon sin psalmbok invirad. Hon har inte kunnat förmå sig till att gå fram och ansa graven i dag, inte så länge Aron är här. Hon ser helst att hon får vara ensam med Abraham. Nu sitter hon här för att vänta ut Aron Pettersson. Karolina har tålamod, numera. Karolina kan vänta.

De sitter länge tysta.

– Undras om det ska dra ihop sig till krig, säger hon till slut, för att ha någonting sagt.

– Det blir väl som det kan med den saken. Mig lär dom inte båda upp i första taget.

Urgubben låter liknöjd på rösten. Krig eller fred? Skit samma. Kom krig, kom pest och svält, låt människor dö som flugor om vintern. Urgubben tänker överleva dem alla.

– Och Abraham som gick och dog, erinrar han sig belåtet. Och ändå var det unga karln, yngre än mig, i vicket fall . . .

– Jo, det kan så vara. Karolina vrider sig plågad på bänken. Det bjuder henne emot att höra det kära namnet i Urgubbens mun. Hon skyndar sig att byta samtalsämne.

– Hur står det till med hälsan, skulle jag väl fråga. Aron ska ha svårt med ögona, hörde jag av Elin häromdan.

– Jag klagar inte, sa Urgubben sturigt. Jag har ledsyn och mer till. Så länge en har ledsyn kan en inte klaga. Mor min hade ledsyn och hon redde sig gott. Hon vart nittiåtta år, gumman, och hon tog sig genom år 68, när halva Hedeby dog unnan. Det var det året inga nässlor gick i blom.

– Nässlor?

– Jo, vi kokte soppa på nässlorna. Och på gräsbrodden, när det knep. Det var ett år, det. Halva Hedeby strök med. Men gumman mor min redde sig gott. Det är ingen konst att överleva, bara en har viljan.

– Man får väl tåla sig med det som är bestämt, säger Karolina olustigt. Vi ska ju alla den vägen vandra.

– Inte jag, inte.

– Men nu tror jag Aron sitter och fjollas med mig. Inte kan vi fattiga människor undandra oss detta som är föreskrivet?

– Jag skiter i vad som är föreskrivet. Jag har ledsyn och väl det, och så länge en har ledsyn reder en sig gott. Så länge maten smakar och så länge en tål snus och kaffe. Det är skönt och sitta vid kakelugnen, när det drar kallt ute. Det är skönt med sommarn, det lilla en kan se och känna. Det är skönt och pissa, om Karolina ursäktar. Ahlenius kan prata vad skit han vill, men det här livet är det enda vi har, och jag lever just nu, och jag tänker fortsätta och leva så länge jag kan ...

– En har ju andra och tänka på än sig själv ...

– Tack du, jag förstår nog vad du menar. Du tycker jag ska lägga in mig på ålderdomshem, ja, då lär jag inte bli många dar äldre. Asch, fan, tror du inte jag begriper vad dom vill, Elin och pojken ... Om dom bara vågade, skulle dom lägga vitt i kaffet för mig eller slå en papp-spik i huvet på mig när jag sov. Men ser du, Karolina, jag har lite pengar, och det är så jag håller dom från livet ... Dom får en hundralapp eller två varje födelse-dag jag har, men pengarna har jag gömt, och skulle dom sätta mig på ålderdomshem, då ska inte fan själv få mig att tala om gömstället. Och det vet dom, och det rättar dom sig efter ...

– Det är väl inte så säkert att familjen tänker som Aron tror ...

– Hör nu, Karolina, gammal är jag, men dum är jag inte. Ska en leva hyggligt som gamling här i landet, då måste en ha pengar. Ska folk va beskedliga mot en, då får en vackert köpa beskedligheten för pengar. Tacka och ta emot och lägga sig ner och dö, det kan passa för såna som tror på Gud och är less på att leva. Men jag vet att det här är det enda liv jag har, och jag vill leva, och om jag bara på något jävla sätt kunde, då skulle jag vilja överleva pojkfan och Elin och barnbarnsbarna och hela Hedeby till, och sen skulle jag pissa på deras gravar ... Så är det – och det kan du antura dig över så mycket du behagar ...

Men Karolina sitter tyst. Hon känner olust inför denna oanständiga bekännelse, ja, det är som om Urgubben hade knäppt upp gylfen och visat henne sin ludna livsvilja som en blottare. Underkasta sig och tåla, det är lätt sagt ... Men tänk om alla innerst inne känner och tänker som Urgubben, vad dom sen bringar för fromma talesätt på läpparna ... Tanken skrämmer henne, och hon klamrar sig fast vid minnet av Abraham, han som så lugn och undergiven vandrade mot sin död. Ja, detta var ett gott och mänskligt sätt att vara, men Urgubben är inte längre en människa, han är ett djur. Ensam som en gammal älgtjur står han på sin levnads kalhygge och trotsar jägaren Döden.

Hon ser ned på sina händer, och psalmboken faller upp, så att hennes blickar fastnar på en vers i nummer 490. Hennes läppar rör sig när hon mumlar de välbekanta raderna för sig själv.

"Se – graven öppnas, och din vän
Uti dess djup försvinner:
Han kommer ej till dig igen
Men snart du honom hinner.
Snart vila våra kalla ben,
Och sommarns fläkt och solens sken
Skall dem ej mera liva."

– Vad fan är det Karolina sitter och mumlar om?

– Nej, det var ingenting just, säger Karolina, och hon är plötsligt överväldigad av den onda lukten av manlig ensamhet och ålderdom, som svämmar ut från Urgubbens kropp, lukten av svett och snusk och ammoniak. Och hon känner att mötet med Urgubben har varit ett hot mot hennes dyrbara och mödosamt tillkämpade sinneslugn, här vågar hon inte längre dröja, hon måste hem, hem till det som åtminstone bär minne av Abraham . . .

– Nej, det är väl dags och röra på sig och inte sitta så här och dra sig, och Aron får väl hälsa hem så gott . . .

– Jag lever och dom är döda, mumlar Urgubben till svar, och hans halvblinda ögon är matta av hastigt påkommen trötthet, solvärmen och samspråket söker honom. Hans skumma ögon ser Karolina försvinna, först en violett fläck mot kyrkans kalkvita fond, sedan in i lövskuggan och borta . . .

Varmluften flimrar över gravstenarna, solhettan är tryckande stilla, och i söder tornar åskmolnen upp sig, hotfullt blå.

– Det sökte mig, mumlar Urgubben grötigt. Och i hans inre virvlar en brokig karusell av bilder: svävande måsar över svarta vatten, en man i polisonger som lyfter en cylinderhatt, en gul parasoll och kung Karl XV:s vänliga ansikte, som öppnar sina skäggiga läppar och uttalar det nådiga ordet ”Perkele!”

– Jag lever, mumlar Urgubben, som en bön, en besvärjelse ...

Men nu är det något som händer. En jättes kalla hand griper hans hjärta och kramar det som en klump lera. Det skumma ljuset mörknar än mera för hans blick. Bröstkorgen låser sig i kramp.

Leva ...

Det enda ordet svävar som en gnista i Aron Petterssons mörknande medvetande, svävar, svävar ...

Och som av ett under löser sig krampen, och luften återvänder till hans lungor, och det dunkla ljuset tänds på nytt för hans blick. Han lever.

Han trevar i västfickan efter mässingsdosan, får upp locket och finner myntet till sin djupa lättnad. Han stoppar myntet i munnen och pressar det med tungan mot gommen som en oblat. Och han känner i sin mun den sällsamma smaken av guldets oförgänglighet, hårdhet och köld.

– Jag lever, tänker han. Jag lever.

7

Hunnen till denna punkt av sin framställning måste Berättaren framträda ur en artificiell anonymitet för att med alla medel, även personlig konfrontation, utforska den fiktiva personligheten Oscar Hesekiel Ahlenius.

Vem är egentligen denne unge man?

Oscar Hesekiel Ahlenius föddes den 7 november 1917 som andra barn och förste son av dåvarande komministern Lars Oscar Ahlenius och hans hustru Margareta, född Enander, i Västra Vingåkers församling av Oppunda kontrakt, Strängnäs stift, Södermanlands län. Han vägde vid födelsen 3 982 gram och skrek högljutt. Han inhämtade små- och folkskoleundervisning i Västra Vingåkers skola, Rosenborgsskolan i Södertälje och Husbyskolan i Hedeby. Han genomled mässling 1922 och vattkoppor 1924. Han fungerade tre år som vargunge och ett år som scout innan han brådstörtat lämnade denna ungdomsrörelse under oklara omständigheter. Hans första pollution inträffade på senhösten 1931, och som julklapp samma år erhöll han planschverket ”Mästerverk i antikens bildhuggarkonst”. Hans första självbefläckelse inföll den 25 december samma år. Han åtnjöt konfirmationsundervisning våren 1932 och gick den 3 juni samma år för första gången till H. H. Nattvard. Hösten samma år inskrevs han vid latinlinjen (helklassisk) i gymnasiet vid

H. A. Läroverket i Södertälje. Han besökte Tyskland sommaren 1934 som ett led i gängse skolungdomsutbyte. Åren 1934–1935 var han medlem av gymnasiets skytteförening. Han mönstrade hösten 1935 och uppmanades därvid anmäla sig som reservofficersaspirant. Våren 1936 avlade han mogenhetsexamen med AB i genomsnittsbetyg. Oscar Hesekiel ansökte om och erhöll vid samma tid uppskov med fullgörande av första värnpliktstjänstgöring. Han immatrikulerades höstterminen 1936 vid Uppsala Universitet och inskrevs som recentior vid Södermanland–Nerikes nationsförening. Han protesterade livligt mot recentiorsgaskens skändningar (pennalism), och blev vid samma tillfälle svårt berusad. Han övergav tidigt planerna att studera teologi och övergick till humaniora. Han har t o m vårterminen 1939 tenterat för ett betyg i nordiska språk. Han har deltagit i föreningsverksamhet i Verdandi, Laboremus och Clarté. Vårterminen 1939 erhöll han inspektorsvarning, en numera sällsynt disciplinär åtgärd. Det är i skrivande stund ovisst om han kan fortsätta sina studier höstterminen 1939.

Hur ser han ut?

Något över medellängd, av god, närmast atletisk kroppsbyggnad, som f n skäms av någon övervikt och lätt kutighet. Han bär korrigeringsglas i ljusa hornbågar. Det cendréfärgade håret är något flottigt, likaså ansiktshyn, som dock inte kan kallas osund. Hans glesa pipskägg är av Trotskijs modell. Han bär blårandig skjorta med vit löskrage, rutig slipover och bruna golfbyxor.

Beskriv hans rum!

Säng med nattygsbord, byrå, bokhylla och rökbord med mässingsskiva vid en hårt sliten skinnfåtölj. Över bokhyllan hänger ett par korsade floretter flankerade av två konstverk. Det första är ett fotografi av Nike från Samothrake, det andra en reproduktion av Böcklins ”Dödens ö”. På bokhyllan, från vänster, en boktrave krönt av ett nummer av ”La Pensée”, en tennpokal på träsockel, utgörande tredje pris i en skyttetävling våren 1935 och ett gulnat fotografi i ram av bättre vit metall av fru Margareta Ahlenius, född Enander, taget i yngre dagar.

Över sängen har Oscar Hesekiel fäst en sovjetrysk affisch från 1920-talet. Dess tendens är uppenbarligen ateistisk. Den framvisar en ung man och en ung kvinna, bägge arbetsklädda, som gemensamt höjer Upplysningens fackla, medan de i andra handen håller hammaren respektive skäran, och inför det skarpa ljuset flyr som skrämda råttor en hord av rödmosigt försupna poper och brokigt utspökade metropoliter.

– Vad är det du läser, Oscar Hesekiel?

– Läser? Jag står bara och bläddrar lite i en av barndomens flyktböcker, det är ”Fanatismen” av Walter Scott. Ja, jag brukar kalla dem flyktböcker, jag sökte aldrig spänning och äventyr i böckerna som andra pojkar, jag sökte eskapism. Dessa fjolliga och könlösa hjältar och hjältinnor, den sävliga pratsamheten, den fina mögeldoften av de gamla banden och de petiga illustrationerna, träsnitt skurna i buxbom ... Jag drömde om att sitta som adlig godsherre i nån ärevördig byggnad, svärma för ätten Stuart och gräla om heraldik med någon ståndsbroder ... Och så sekelskifteslitteraturen, med alla dessa melankoliska och viljeförlamade hjältar, som drönade bort sin tid på förfallna herrgårdar, det var i sanning Gefundenes Fressen för en ung eskapist ...

– Vad var det du ville fly ifrån, Oscar Hesekiel?

– Svårt att säga. Kanske var det en metod att skjuta undan insikt. Först insikten, att religionen var helt meningslös för mig, så meningslös i själva verket, att jag inte ens behövde gå igenom någon troskamp eller kritisk uppgörelse... Barnatron föll bara bort som en mjölktand, utan smärta och saknad. Men det krävdes väl kurage av en prästson att erkänna faktum, jag förträngde väl min otro, helt enkelt. Nå så var det då fadersrevolten, fast revolt är ett väl starkt ord, det var bara en lugn och klar insikt, som helt odramatisk kom över mig. Ena dagen var min far en dyrkad halvgud, en idol i mässhake, som alla såg upp till där han stod och orerade vid altaret. Nästa dag hörde jag en stillsam liten röst i mitt inre: ”din far är en egoistisk och självbelåten narr.” Och så var det, givetvis, jag orkade knappast förakta honom, en gång. Men trots allt krävdes det mod att erkänna för sig själv: jag är ateist och jag ser ner på min far. Och inget hade jag att sätta i stället, det var som att se ut i nihilismens öken. Det orkade jag inte, inte då. Jag valde att fly, fly in i litteraturen.

– Så som du senare skulle fly till broderskap och engagemang, bort från ledans och ironiernas trista skymningslandskap?

– Jämförelsen må stå för din egen räkning.

– Hur ser du i dag på din far, Oscar Hesekiel?

– Ungefär som då, men självfallet förstår jag honom bättre. Men förstå har inte i detta fall betytt att förlåta. Jag kan förstå att mycket av hans beteende är betingat, men jag kan inte inse att det på samma gång är obevekligt determinerat, nej, jag kan inte förlåta honom. Det finns ingen ursäkt för hans självömkan och egoism och hans sätt att behandla min mor ... Nu säger du naturligtvis Oidipuskomplex?

– Nej.

– Nå, det var då för väl. Nej, jag är inte attraherad av min mor, förslavade och utpinade kvinnor är sällan attraktiva, och dessutom kan jag ju inte låta bli att förakta henne en smula för all denna beskedlighet, samtidigt som jag tycker synd om henne. Värst är det väl med alla dessa ungar hon har fött till världen, jag känner dom knappast vid namn, trots att de ska låtsas vara mina syskon ... Där tycker jag att min far har syndat värst, med en äcklig blandning av bigotteri, lättja och sexuell egoism. Det svenska prästerskapet har ju redan accepterat barnbegränsningen i all stillhet, som dom accepterar allt annat i sitt fördröjande försvar ... Nej, där finns ingen ursäkt.

– Har din fadersrevolt haft inflytande på din politiska inriktning, Oscar Hesekiel?

– Nå, om så vore, vad skulle det ha att säga om sanningshalten i min ideologi?

– Ingenting.

– Nå, det var då för väl ... På din fråga kan jag svara: ja, det är möjligt, men frågan är skäligen ointressant. Min far har nog inverkat på ett annat sätt – som avskräckande exempel. Han uppvisar en aningslös pragmatism i förhållandet till sin ideologi, så aningslös att den är rent infantil. När han var ung märkte han inte ens, att religionen och kyrkan hade börjat knaka i fogarna. Kyrkan var för honom bara en karriärväg, religionen ett antal lärdomskvanta, som han måste slå i sig för att ordineras och börja klättra i hierarkistegen. Sanningsfrågorna ägnade han aldrig en tanke. En tro som kunde göra honom till kyrkoherde, kanske prost, domprost, biskop, den tron kunde det väl inte vara något fel på? Så kom han ut på fältet och fick sitt gäll, och vad fann han? Sekularisering och frireligiositet, glesnande skaror i kyrkan, och själv fick han inte vara allenarådande i bygden, den rollen hade Lille-Lars eller Skomakar-Ludde lagt beslag på. Pappa blev nästan fjollig av grämelse och etablerade sig som våldsam motståndare till politiker och frimicklar. Redan 1919, på stiftsmötet, gjorde han sig omöjlig, och någon vidare karriär är ju inte att tänka på. Han luktar på oxfordrörelsen och allt nytt som kommer, för att finna ut om det kan användas, han försöker fuska i teologi och ska visst skriva nånting i etik, mot Nygren, men allt det där är bara livslögner, och något personligt trosförhållande till sin ideologi har han självfallet inte ...

– Än du själv då? Är du marxist, Oscar Hesekiel?

– Marxist och marxist ... Det finns många sorters marxism, numera. Dialektikens roll i kunskapsteori och naturvetenskap kan jag bara inte begripa, men det är ju mindre betydelsefullt. Allt som allt kan jag väl säga, att jag inte kan upptäcka någon annan funktionsduglig humanism eller en mer lovande arbetshypotes ...

– Finns det inte vissa händelser under trettitalet, som i någon mån diskrediterat denna humanism eller vederlagt hypotesen?

– Det kan jag inte inse. Det skedda måste ses i ett större perspektiv. Den enda vederläggning jag kan tänka mig vore ett samarbete mellan fascismen och arbetarstaten och ...

– Ja?

– Något sådant vore ju otänkbart.

– Har din politiska övertygelse fört dig i konflikt med din studiemiljö i Uppsala?

– Du försätter mig i en besvärlig belägenhet. Jag skulle gärna vilja framställa mig själv som martyr och sanningsvittne, det är ju bara mänskligt, men eftersom du är allvetande berättare vore det väl bortkastad möda. Att vara marxist i Uppsala i nådens år 1939 ... Tja! Det är inte särskilt kontroversiellt, så länge man omfattar sin ideologi på ett tämligen abstrakt och till intet förpliktande sätt, om man undviker propaganda och stridbart partitagande för Sovjet eller partiet, och helst bör man väl också undvika marxistisk praktik i sin vetenskapliga forskning ... För övrigt är man ju inte ensam. Men jag har ibland varit konkret, påträngande och stridbar, och det har inte tagits väl upp. Vet du, det som retade mig mest, var att nästan alla fungerade ungefär som pappa. Utan kritik eller eftertanke övertog man bara en ideologi och en samling föreställningar och fördomar, som man inte ens gitte diskutera, man bar den korrekta klassideologin lika självklart som man bar korrekt högtidsdräkt. Det retade mig så jag kunde bli galen, jag ville utmana dem, skaka dem i deras övertygelse, så som jag skakade och utmanade pappa. I den mån han ännu lät sig utmanas ... Och så kom kårdebatterna om de intellektuella flyktingarna, judarna, ja, det kan ni ju inte ha glömt, och jag blev full och förbannad och hade ett stort utbrott på en nationsgask, svor och krossade glas och skällde dom alla för fascister, ganska orättvist, till en del, men ändå ... Ja, resten kan du tänka dig själv. ”Trots upprepade föreställningar från Herr Inspektor vägrade kandidat Ahlenius att avlägsna sig från nationslokalerna, och måste avföras med hjälp av vaktmästare och Förste Kurator..." Och så fick jag varning, och fan vet om inte gubben skrev hem till pappa, hans uppsyn av tåligt buret lidande tycks tyda på något i den vägen... Och nu vet jag inte hur det ska bli. Politik stjäl tid från studierna, och en vacker dag står man där och är överliggare, skuldsatt, kverulant, missnöjd, inte att ta på allvar...

– Tills vidare förlägger du din agitatoriska verksamhet till Hedeby?

– Ja, men det är också att kasta sitt goda säde på hälleberget. Och ideligen kommer min teori i konflikt med verkligheten, eller kanske är det jag som inte rätt kan använda teorin, jag vet inte... Du har väl som jag känt den extatiska glädjen inför Marx stora analyser av det franska samhället, kunskap är möjlig, säger man sig, världen är åtkomlig och vetbar... Men när jag lägger hans analyser på Hedeby blir kartan opålitlig, rastret för grovt. Vad ska jag göra med dessa förbannade sörmländska bönder? Ha! En klassisk replik för övrigt. Hur många gånger har inte goda marxister tvingats ställa den frågan: vad fan ska vi göra med bönderna? Dom kallar sig självägande bönder, och upplever sig som fria och oberoende. Men faktum är ju, att så länge mekaniseringen fortgår, så länge de måste köpa nya traktorer och mer avancerade maskiner och större arealer, så länge måste de också gå till bankerna, inteckna gården och låna... Självägande, kallar dom sig, och dom röstar på bondeförbundet eller kanske på högern tillochmed, och så går dom hela livet ut och gnor ihop till räntor och amorteringar åt en bank. Tala om utsugning! Men klassmedvetande? Inte ett dyft. Inte ens kalkbruksarbetarna erbjuder en tacksam jordmån för min förkunnelse, dom går mestadels och längtar tillbaka till jorden, till en egen gård, och det är väl först efter den famösa röd-gröna kohandeln häromåret, som dom vågar rösta på sossarna...

– Och vad anser du om Signe?

– Goda möjligheter, men tyvärr har jag nog kommit in för sent i bilden. Hon är för bunden på alla sätt och sitter fast i konventionella lojaliteter. Tyvärr är hon väl också på ett irrationellt sätt bunden till Svensson, och han är och förblir ett hopplöst fall, trasproletär in i märgen. Det är synd, strängt taget. Det är skada på så gott material.

– Och vad hade du hoppats kunna göra med detta material?

– Skapa medvetenhet. Vad annars?

– Jag förstår. Och vad anser du om Erik Gustafsson?

– Jag vet inte riktigt. Fallet försvåras av hans erotiska fixering. Ibland tycks han ta eld och på allvar intressera sig för vad jag säger, men nu för tiden verkar han mest försjunken i sin vettlösa passion för den där jäntan på konditoriet, Märta, ja, det där vet du bäst själv, det hör ju till din berättelse... Och skulle han gifta sig med Märta, mot all förmodan, då lär han väl slå sig till ro i politisk liknöjdhet och så kallad familjelycka, vad nu statarlivet kan ha att bjuda på i den vägen. Hur han har det just nu har jag faktiskt ingen aning om, jag är inte precis välkommen hos Lille-Lars i Näsby, som bekant.

Berätta själv, du som vet!

– I detta ögonblick äter man kvällsmat hos Lille-Lars. Alla äter gemensamt i köket, och Olga passar upp på de tre männen, husbonden och drängarna Erik och Elon. Man äter rågmjölsgröt med mjölk och lingonsylt, därtill smörgås med kallt, stekt fläsk. Dörren till kammaren står öppen, och därinne skymtar man ovanför soffan det berömda porträttet av riksrådet Kyhle, en kopia efter Roslin...

– Kyhle, Roslin, vad fan är det du talar om...

– Lille-Lars ropade in porträttet på auktion efter friherre Urse på Valla. Greve Tre Rosor på Gieddeholm, som är befryndad med Kyhles, försökte också ropa in porträttet, men Lille-Lars vann duellen av naturliga skäl...

– Så, Lille-Lars försöker adla sig genom att köpa anfäder, ja, det är ju inte så svårt när man har pengar... Men efter olyckan i fjol bör väl inte statusjakten vara särskilt meningsfull för hans del? Är det dottersonen...

– Var god avbryt inte min berättelse. Lille-Lars beteende är i kväll ovanligt och för drängpojkarna förbryllande. Den gamla vanliga trumpenheten, med grymtningar, enstaka ord, kanske några korthuggna order och anvisningar för morgondagens arbete, eller i bästa fall en fåordig komplimang för väl utfört arbete, detta beteende är i afton helt förändrat. Lille-Lars hummar, harklar och menar, på en gång upprymd och lite generad. Efter mycket om och men rycker han äntligen fram med sin stora hemlighet: han har skriftligen inviterat sin dotterson, Lars Eberman, son av kaptenen Gustaf Eberman och Lille-Lars dotter Kristina, och den mågen fick han köpa dyrt, som man säger i bygden; nogav, han har inviterat dottersonen Lars, sin ende manlige ättling, att tillbringa resten av sommarlovet på Näsby. Som icke uttalad avsikt omfattar Lille-Lars planen och drömmen, att dottersonen i tidens fullbordan ska överta gården, ty för hans bondska själ är det ett skrämmande perspektiv, att gården en dag ska gå ur släkten. Men dottersonen är van vid ståndsmässig miljö, och därför avser Lille-Lars, att låta ättlingen inta sina måltider på kammaren. För att även Olga ska få sitta med på kammaren, ämnar han leja ett fruntimmer för drängarnas passning i köket...

– Tämligen typiskt, spekulerade Oscar den andre. Klasskonturerna kan anas, men ännu är de ganska diffusa. Lille-Lars är väl den som står sig bäst av bönderna i Hedeby, men ännu tar han det som en självklar sak, att äta med drängarna i köket och låta sin hustru passa upp. Och även om han högfärdas lite över sin fina svärson, skulle han väl lika gärna ha accepterat, att någon av drängarna handgripligt hade friat till Kristina på höskullen och därmed gift sig till gården, efter fait accompli...

– Det är möjligt.

– Nå, än sen då?

– Drängarna mottar beskedet under tystnad. Deras känslor är gissningsvis lätt irritation, följd av axelryckning och liknöjdhet. De reser sig, tackar för maten och lämnar köket. Erik skyndar till drängkammarn för att tvätta och feja sig för ännu en kvälls fåfäng uppvaktning av Märta, och han smor in sig med de sista dyra dropparna Eau de Portugal, ty han oroas över sin elaka lukt, sedan han i dag kört hönsgödsel till garvare Dahlboms pyr. Elon vandrar en vända genom lagårn, läser de välbekanta krittexterna på kornas namnskyltar, vandrar med hasande gummistövlar över flon . . .

– Vart vill du egentligen komma?

– Elons tankar är i detta ögonblick tämligen svåråtkomliga för analys. Han går utan plan och mening i lagårn, bara för att vinna tid och för att undvika ett pinsamt samtal med Erik. Han skäms en smula på kamratens vägnar, ty han vet att uppvaktningen av Märta ska bli lika förödmjukande och resultatlös som vanligt. Samtidigt skäms han för sig själv och sin egen passivitet och resignation. Han vill inte på några villkor lämna drängkammarens unkna ensamhet och oproblematiska självbefläckelse, men samtidigt känner han dunkelt, att Eriks ständiga misslyckanden i någon mening är mera aktningsvärda än hans egen erotiska defaitism . . .

– Menar du verkligen att Elon, den stackars token, skulle kunna känna och tänka allt det där? Du förråder en mer romantisk syn på folket än jag . . .

– Den språkliga realismen kan vara osolidarisk och konventionell. Att passivt acceptera det torftiga språk, som samhället givit Elon, vore en självstympning, ett brott och en dumhet. Jag utsäger efter förmåga det som vore möjligt att tänka och säga. Och jag ställer hela mitt språk till förfogande.

– Nå, som du vill då . . . Och vad tänker du göra med mig?

– Du Oscar Hesekiel Ahlenius, lägger nu ifrån dig boken du har stått och bläddrat i. Du ser på en av affischens karikerade präster och småler åt en likhet den tycks förete. Du tar ner kavajen från hängaren i garderoben, kränger den på dig och finner i högra kavajfickan en och sjuttifyra i småpengar, mer än nog för den lilla utflykt du planerar. På utgående ropar du inåt din fars arbetsrum: ”Jag går ut och promenerar en stund!”, eller möjligen: ”Jag går ut och får lite frisk luft!”

– Jag går ut och får lite frisk luft! Hej på ett tag!

– Du tar din cykel och trampar den korta vägen ner mot samhället. Julikvällens luft är ljum, en tågsiren råmar avlägset och en rusig insekt kolliderar mot din panna med ett knäppande ljud. Du bromsar in och parkerar din cykel framför Ohlsons Hov-Conditori. Du har anlagt det stela och lite försmädliga leende du nyttjar som försvar mot Hedebys förakt för ”den misslyckade studenten”. Men i just detta ögonblick blir du varse något egendomligt. Ut ur konditorit kommer Pärsy, korpralen, men din observanta blick noterar lätt, att han är åtskilligt förändrad. Han är orakad, uniformen är skrynklig och han gör överhuvud ett ovårdat intryck. Märta Svensson skyndar ut genom dörren, som för att följa honom, men stannar till där hon är, gnistrande arg och mycket vacker i sin svartvita servitrisuniform med det obscena lilla förklädet över skötet. Men vad är det som har hänt med Pärsy, den karske soldaten? Där slinker han nerför trappan som en skamsen hankatt, och när han vänder sig om mot Märta låter avskedsrepliken nästan ynklig: ”Men jag har ju för faen inga mera pengar, du hör ju vad jag säger!” Därpå försvinner han halvlunkande på vägen mot Valla och Alby, och själv går du den motsatta vägen mot Turisthotellet, upptagen av funderingar över detta anmärkningsvärda uppträde. I Turisthotellets uteservering slår du dig ner vid ett bord och serveras en Pommac. Du sitter tillräckligt nära det ölanrede Avskummets bord för att uppfatta en och annan replik. ”Nu har du väl satt tanten på jäsning, Svensson!” Eller möjligen: ”Nu har du väl satt en bulle i ugnen!” Till detta skrattar Svensson hjärtligt, ty han är numera sitt vanliga glada jag efter en kort tid av nykter och modstulen skötsamhet efter hemkomsten från fängelset. Ännu en replik tränger fram: ”Svensson gick direkt från kurran till kussimurran! Hä!” Förnyade våldsamma skratt. Du rynkar ögonbrynen, trummar med fingrarna på bordet, och läppjar måttligt på din läskedryck: ytterligare förtäring förbjuder din ekonomi, som bekant. Du längtar efter umgänge, och sommarkvällens skymning inger dig ett lätt svårmod. Men nu kommer Erik Gustafsson vandrande förbi på vägen därnere, kutig i sin urvuxna finkostym, till synes mycket trött. Mänskligt att döma kommer han från Ohlsons Hov-Conditori. Möjligen satt han på serveringen och bevittnade det uppträde du just har noterat och fortfarande funderar över. Du lyfter handen av en impuls att kalla på honom, men av någon anledning återar du dig och låter handen sjunka. Och Erik försvinner bortåt vägen. Vid Avskummets bord har rösterna sänkts till ett lystet viskande och fnissande, och du tror dig förstå, att man skämtsamt talar om Nora Zetterlind, den storvuxna Afrodite. Men dessa skämtsamheter väcker av någon anledning Stora Smålands vrede. Han utreser sig, slår näven i bordet så ölbuteljerna hoppar, utbrister i kötteder och vandrar bort med tunga steg. Vid Avskummets bord råder förstenad tystnad och förvåning. Själv orkar du knappast notera bråket. Skymningen har tätnat alltmera. Den snart utblommade lindens söta dofter hänger tunga omkring dig. En mygga inar vid din panna. I afton är Hedeby som alltid fyllt av kärlek och hat, lycka och förtvivlan, liv och död, vedermöda och vila, Hedeby, en värld tillräcklig för alla dessa människor men för dig ett kvävande fängelse. Du skramlar med slantarna i kavajfickan. Penningens roll i vårt samhälle har du analyserat, men insikt och medvetenhet hjälper dig inte från knapphetens och beroendets förödmjukelse. Insikt och medvetenhet räddar dig inte från en uppgiven känsla av vanmakt och svårmod denna milda julikväll i Sörmland, medan skymningen faller och en kvällstrött svala flyger förbi.

8

Pojkarnas parlament är samlat till plenarmöte vid träbron över ån. Uppflugna som sömniga fåglar på räcket överblickar de flödet av kunder till Handlarns butik, dåsiga av solvärmen och den ljummet narkotiserande doften av Silleråns sommargröna vatten: Gert Svensson, Tore i Skällsta, Sven i Skååäng, Lars i Berga, Axel Weber och snoriga Torsten. De dinglar makligt med sina nakna fötter, bruna och hårda som horn av sommarens strövtåg i grus och stenskärv och risig skogsmark. Välsignat avlägsen är höstens tid, då skolan och samhället ska tvinga in deras rappa klövar i ofrihetens blackar av läder.

Det vilar en stämning av slöhet och resignation över pojkarnas församling. Solhettan är sövande tung. Fjärsman har nyligen cyklat förbi på sin vanliga väg till Handlarns butik, men det vet en ju bara alltför väl, att de inte längre får nöjet att begapa eller möjligen forsla hem en redlös lagens tjänare. Fjärsman är en detalj, som Handlarn sköter snyggt, numera. Blir han för mosig får Rulle köra hem han i forden, helt enkelt. Fjärsman dansar efter Handlarns pipa, som han alltid gjort, men numera gör han det utan öppen skandal. Det är nya tider, nya seder.

Ingen utsäger det i klara ord, men faktum kvarstår:

Pärsy har varit en besvikelse. Han var inte frihetens sändebud från en fjärran värld, han var bara en helt vanlig storpojke, skrytsam och stortalig, med drömmar som inte sträckte sig bortom brännvin och fruntimmer och liknande barnsligheter. Gert Svensson har väl hoppats i det längsta, men nu har även han börjat misströsta om Pärsy.

Och inte går det att fiska från bron, inte nu sen dom satt ett mudderverk där uppe vid dungen nedom Alby.

Slöhet och resignation, och kanske är det dessa sommartunga dofter från ån som söver dem. Vid islossning luktar ån stickande och hetsigt, om våren rusande av frihetsluften, men nu när vattnet blommar och löper flockigt av frömjöl, är fruktsamhetens doft så stark, att den nästan verkar bedövande.

Men även i Handlarns butik är stämningen dämpad och tyst. Rulle kontrollerar beloppen i kontoböckerna, men gör det egendomligt förstrött, falkar med sin gula blick mot kontoret och andas tungt genom sin krossade tapirnäsa. Även åldringarna på Gubbabänken har försjunkit i suckande tystnad.

Åldringar och gubbar, förresten... Rävfarmarn är ju ännu i sin fulla kraft, och ändå har han sökt sig hit till gubbarnas maktlösa parlament. Här sitter han nu med en kilopåse salt vid fötterna och en pilsnerpava dinglande i handen mellan knäna. Gubbarna var först en smula avoga mot den nye rekryten: unga karln, som borde stå mitt i sin gärning, och så söker han sig hit som en orkeslös, det kan ju inte vara rätt, vad han än må ha för trassel med pälsdjursaveln... Men samtidigt är de en smula stolta över att få uppta i sina led en man i sin fulla kraft, och nu har de så smått börjat acceptera honom. Nu sitter han här bredvid Urgubben, Andersson och de andra, försjunken i suckande tystnad som de.

Vad suckar gubbarna över?

Förklaringen är enkel: Fjärsman är här, så nu är det förstås nåt nytt sattyg i görningen, ovisst vad. Fjärsman klev in i butiken på sitt hemvana sätt, uniformsklädd och mahognyröd i ansiktet, och efter en snäv nick åt Gubbabänken slog han upp luckan i disken och sökte sig in på Handlarns kontor. Nu gör han inte längre sken av att vilja häkta Handlarn för lagbrott, den tiden är förbi, nej, i dessa begynnande ofärdstider, med hamstring och allsköns skumraskaffärer, har han öppet och skamlöst trätt fram som Handlarns kreatur och handgångne man.

– Det är för otillständigt, detta med fjärdingsmannen, säger Ahlenius vid frukostbordet och luktar misstänksamt på sitt löskokta ägg. Han borde avsättas eller åtminstone förtidspensioneras. Strängt taget borde han väl egentligen åtalas för tjänstefel.

– Snälla pappa, säger Oscar Hesekiel, inte kan Fjärsman avsättas? Han vet för mycket.

– Vad menar du med det?

– Han vet för mycket! Ja, vad han vet om småfolkets småsynder står väl redan i straffregistret. Jag syftar på hans djupgående kunskaper om herrskapens laster och brott.

– Det där var en ovanligt ful insinuation, sa Ahlenius förolämpat och förde servetten till sin äggulsfläckade haka. Ovanligt ful.

– Jag syftar naturligtvis inte på dig, snälla pappa. Jag förutsätter att du står över alla misstankar. Eller hur?

Ja, det ligger väl nåt i vad han säger, Oscar den andre. Det måtte vara rent orimligt mycket med obekväma kunskaper som Fjärsman genom åren hunnit lagra på sitt trånga hjärnkontor. Honom avsätter man inte så lätt.

– Nu ska ni se att det blir krig, säger Urgubben oförmedlat. I natt hörde jag härfågeln skälla.

– Men snälla farbror, säger Rävfarmarn, här i Hedeby har det inte häckat nån härfågel på den tid jag minns, inte sen far min var ung, i vicket fall.

– Sanna mina ord, säger Urgubben. Krig kommer det och bli. Men inte lär dom väl båda upp mig i första taget?

Det dröjer med Fjärsmans sorti, och därför har samtalet åter börjat sorla vid Gubbabänken. Samtalet går naturligt nog till Pärsy, bygdens enda yrkeskrigare, han som nyss var en segrare och härskare och nu börjar te sig smått förfallen. Uniformen sitter som en solkig och korvig strumpa på hans unga lekamen, och vad pengar han hade med sig från rejementet har redan gått all världens väg. Vad är det som har hänt? Enkelt uttryckt: bygdens store förförare har själv blivit förförd. Märta på konditorit, Svenssons doter ni vet, har virat den obändige räkeln kring sitt lillfinger. Håll i er nu ska ni få höra – Pärsy har bjudit Märta på Stadshotellet, fin middag med vin och likör! Källarmästar Lönbom trodde knappt sina ögon. Nog händer det att männen i Hedeby går på Hotellet för att dricka på affär och uppgjord kreaturshandel, men vanliga anständiga kvinnor kommer dit bara nån enstaka gång i sina liv, till bröllop och femtiårskalas. Att herrskapsfruntimmer och Brunzéns horor springer där och kalasar till vardags är ju en sak för sig.

Men nu har alltså Märta, doter till Svensson där bort på malmen, låtit sig inviteras till fint galej, som måste ha tärt hårt på Pärsys kassa. Och när nu Märta bevisligen inte är herrskapsfruntimmer, vad ska hon då sägas vara? Frågar man sig.

Fast, ovisst är ju om Pärsy ens fått sin vilja fram med henne. En sån satans jänta! En vet inte vad en ska tycka?

Nej, gubbarna vet inte riktigt vad dom ska tycka. Märtas kärlekshandel med baron Urse var ju en så enorm skandal, att man först bara kunde tala om den i gester, åtbörder och blinkningar. Men så gick baron i ån, och Märta fick en sen och besvärlig snedresa, det var nästan för mycket på en gång, många bud, skilj er åt, men efter en tids grubbel bestämde Hedebys opinion, att efter så hård tuktan av ödet eller Vår Herre kunde Märta möjligen i sinom tid vara förlåten och återupptagen, bara hon obönhörligt höll sig till den smala vägen. Och än så länge tycks hon ju ha slagit tappert omkring sig i horden av kåta glopar, som kladdar efter henne där nere på Ohlsons Hov-Conditori. Men så händer då detta... Vad ska en tycka? Pärsy är ju en satans slyngel och kan när som helst ställa en flicka i olycka, tänk bara på en flamsig flickvela som Sonja, hon kan då aldrig säga nej, när en karl vill komma och doppa i grytan, nej, försann, att en sån som Pärsy blir stukad en smula kan inte ens Urgubben ha nåt emot, även om han betraktar kvinnokönet som krigsmaktens allmänning... Men vad ska en säga om Märtas metoder, och vart ska nu detta bära hän? En kan bli rent konfys. Det är ju rent som en epidemi av lastbarhet hade drabbat Hedebys unga kvinnor, en epidemi spridd av stockholmarn Brunzén och hans smutsiga byke? Osannolikt kan det verka, men det finns sena vandrare, som tycker sig ha sett Nora Zetterlind, Sill-Selims dotter, smyga omkring i bara särken nattetid, och vad sådana nattliga utflykter kan betyda, det låter sig lättare tänkas än utsägas...

– Sanna mina ord, vädjar Urgubben. Krig och dyrtid kommer det och bli... Jag hörde härfågeln skälla ända tills tuppen gol och Elin börja rusta med spisen...

Men ingen hör på Urgubbens mummel, ty i detta nu träder Signe in i butiken för att handla ett hekto kaffe. Hon nickar mot Gubbabänken och gamlingarna harklar och skruvar på sig och hälsar enstavigt tillbaka. Hon har börjat bli gammal Signe, och ändå är hon väl inte fyrtio år fyllda ännu, hon är kutig och tung i kroppen och fläckig i ansiktet och tycks inte vårda sig om hur hon ser ut, fast hon fått hem karln från fängelset, men, det är klart, Svensson är väl inte så mycket och göra sig till för... Hon betalar kaffet kontant, ty Svenssons kontobok har länge varit spärrad.

– Käringarna hamstrar, konstaterar Rulle, sedan dörren pinglat igen bakom Signe.

– Vad pratar du för skit, säger Andersson, med ens förbittrad. Ska det vara och hamstra, att hon köper lite kaffe åt mor sin, så det räcker till ett kok och knappt det...

– Ja, inte är hon som patronessan Lönbom, medger Rulle, och blottar sina bruna, söndriga tänder i ett elakt leende.

Och gubbarna kluckar sina försiktiga åldringsskratt. Jo, patronessan på Lida har onekligen drivit sitt samlarnit en aning för långt. Så här ligger det till: hon var inom för ett par veckor sen och falkade i Handlarns alla skrymslen efter varor som kunde läggas upp i lager, om nu kriget skulle komma. Och Handlarn tog tillfället i akt och erbjöd henne till förmånligt pris ett parti överbliven Påsk-Ansjovis i hummersås, obetydligt jäst men annars ettma vara. Lönbomskan vart vild i blicken, köpte hela slumpen för grova pengar, packade in den i volvon och for hem till Lida, där ansjovisen stuvades bland mycket annat smått och gott på vinden. Men Lidas valmade mansardtak med tjärat spån tar ju åt sig solvärme nåt så obegripligt, och det stog inte länge på, förrän de bulliga burkarna jäste än mera och snart nog exploderade med saftiga smällar och spydde ut sitt skämda innehåll bland sockersäckar och kaffebalar. Hela Lida luktade as, som Dahlboms garveri i rötmånan, och när vinden låg på mot söder, var det knappt trosaborna kunde gå utomhus. Drängarna på Lida vägrade ta befattning med eländet, och först sen de styrkts med dusörer och folkkonjak, tog de sig upp på vinden för att skoffa ut gojan genom ett öppet fönster i frontespisen. Gödsvinen matförgiftades och spydde åt smörjan, som slutligen fick grävas ner på stallbacken, som genast vart frostvit av salinering. Men tror nån att Lönbomskan vart förnuftig för det? Ånej. Hon snor bara runt etter värre på sin jakt efter viktualier, och det skulle knappast förvåna, om hon trädde in i butiken i denna stund . . .

Men den som inträder är provryttaren Perzén, elegant i Collijns dubbelknäppta kostym och dyrbart leende av guld och porslin, Perzén, resande i galanterivaror, generalagent för Müller–Welts emaljögon, en helvetes fruntimmerskarl, som ständigt värvar flickor från Hedeby till tjänster som hembiträden i Stockholm. Men Handlarn får inte störas, och Perzén pruttar besviken vidare i sin DKW.

Det är skördetider snart, det är redan augusti, och där kommer Erik Gustafsson över bron med ett mullrande enbetslass krakstör, som Lille-Lars ska låna ut till Elof i Alby. Han tjudrar den blonda halvardennern vid järnstången utanför butiken, läser på anslagstavlan om en skyttefest i Torsåker, vandrar så upp för trappan med tunga steg. Rävfarmarn smusslar tomflaskan under bänken, får fatt i saltpåsen och reser sig beskäftigt för att gå.

– Och du är ute och åker, hälsar han sin son med ansträngd fryntlighet.

– Jag skulle till Alby med lass ... Är du här och handlar mitt på dan?

– Ja, mor din har svårt och komma ifrån, jag skulle ha lite salt ...

– Jaha ... Jo, ett paket Tiger Brand skulle jag väl ha ...

– Mens du ändå är här kan du väl följa med hem och ta en kopp kaffe?

– Det går väl för sig ... Om Andersson vill hålla ett öga på hästen? Jag kan ju sätta på han tornistern ...

Far och son vandrar hem den korta vägen under tystnad. Erik känner på sig att nåt är i olag, det är väl pengar som vanligt, men man drar sig för att fråga ... Rävfarmarn tiger och kliar olustigt sitt ärriga ansikte. Femhundra skinn, tänker han dystert, prima silverräv ...

Inkommen i köket blir Erik stående och gapar.

– Men vad i herrans namn ... Håller ni på med slakt?

Jomen, så är det. Konserveringsgrytan ångar på spisen, och på diskbänken av zink står konservglasen och väntar bland buntade svinfötter, läggar och ett sömnigt gloende huvud. Stark och rå är lukten av nyslaktat fläsk, som ligger styckat på sofflocket och köksstolarna, och vid slagbordet står Hilma och reder upp hjärtlaget, som hon rensar i handfatets molnigt blodiga vatten. Ånga och os av smältande flottyr, blod och fläsk och ränta och rykande gorr . . .

– Men vad i jösse namn, säger Erik, förskräckt inför detta onaturliga. Står ni och slaktar julgrisen mitt i rötmånan . . .

– Vill du gå ut efter lite ved, schasar Hilma ut sin make, och vänder mot sonen en undergivet spörjande blick. Och Rävfarmarn larvar ut, en lydig och eftergiven man, numera.

– Vi hade inte tänkt berätta förrn efteråt, säger Hilma, och hon trevar över sonen med sin hjälplösa, bedjande blick. Men vi såg oss ingen levande råd. Det var hon människan Lönbom på Lida som ville ha fläsk, saltat och konserverat, och hon bjöd såna priser, så vi kunde inte stå till svars med att tacka nej, inte som vi har det nu . . . Pappa försöker få ihop till en ny besättning, men Handlarn ska ju ha sitt, med ränta och amortering . . . Vi såg oss ingen levande råd. Det var ju tänkt så från början, att det skulle bära sig så pass, så du kunde komma hem och hjälpa till och kanske ta över nån gång, om inte förr så när du gifter dig . . . Pengarna måste vi ju tvunget ha . . . Och med såna priser människan bjöd . . . Vi visste oss ingen råd . . .

– Grisen skulle ni väl ha haft till jul, säger Erik. Matt

av beklämning har han sjunkit ner och satt sig på vedlåren. Faderns yxhugg ekar där utifrån.

– Det blir väl alltid nån råd med julen...

– Jag undrar det, jag... Det kan väl bli knappt med maten, om det blir krig. Och jag har väl inte så mycket och hjälpa till med?

– Det är ju för din skull vi gör det? Så du kan komma hem nån gång och slipper gå och tjäna. Jag menar... En vacker dag träffar du väl nån flicka du vill gifta dig med...

Hilma står med blodiga händer bland svinränta och fläsk, i kökets starka os av smältande ister, och ser på sin son med hjälplöst tiggande blick. Och han vet ju bara alltför väl vad hon menar, vad hon vet, vad de inte vågar tala öppet om, mor och son. Träffa nån flicka jag vill gifta mig med, kyss mej i arsle, det vet hon väl hur jag har det ställt med Märta. Och hon skyr Märta som pesten, och hon är livrädd för att jag ska ställa henne i olycka, men milde herreje, jag begär ju inte bättre, så kanske hon skulle hålla sig till mig...

Hilma står med blodiga händer och hennes ögon smalnar av hat mot Märta, en mors vanmäktiga hat mot den kvinna, som har tagit makten ifrån henne, makten över hennes egen son, makten att ödelägga hans liv, om det nu skulle behaga henne, slynan...

– Vad jag skulle säga, har du sett till Pärsy nånting, dristar hon sig fråga, förfärad över sin egen djärvhet. Han lär va mycket ute och festa och galivanta...

– Det vet jag ingenting om, svarar han, avvisande. Och vad det anbelangar och komma hem och ta över, så har jag ju mat för dan hos Lille-Lars.

– Det kan ju aldrig vara fel att en försöker, i vart fall, säger Hilma modlöst och vänder sig åter till sitt arbete, snittar upp svinhjärtat och lägger det i handfatets vattenbad.

Men Erik har fått fyr i ett stopp Tiger Brand och sitter obevekligt tyst på vedlårn och röker. Barnen i huset är längesedan utflugna, bara Erik har stannat i Hedeby, och av alla har han räknats snäll och beskedlig nästan till gränsen av velighet. Men sen han fäste sig vid den där Märta har han vurti som en omvänd hand. En trodde väl han skulle få vett i skallen, när hon gav sig i lag med baron och sen fick kasta som en sjuk kviga, men inte tog han vid sig av det? Nej, Hilma har inte längre någon makt med sin son.

Rävfarmarn larvar in med den spånflätade vedhämtarn i handen och ser skyggt på hustrun och sonen för att utröna hur samtalet kan ha avlupit. Så tar han av sig kepsen, kliar sig i flinten med skärmen och suckar maktlöst.

– Ni får väl gå in på kammarn och sitta, vädjar Hilma. Här kan vi ju inte hållas? Gå in och sitt så länge, så ska jag rusta undan och få ihop lite kaffe... Sitt, vet jag!

Far och son går dröjande in och sätter sig vid kammarens finbord med den virkade, vita löparen. Genom fönstret har de utsikt över slänten ner mot Styfs stuga, aldungen kring den gamla förfallna isstacken, träbron över ån som leder vägen till Handlarns butik. Och där, längre uppåt ån, nedanför Alby, står mudderverket och slaskar med årensningen, som numera sköts på entreprenad.

– Det är ganska så ofta du hålls nere hos Handlarn

nuförtiden, säger Erik retligt.

– Asch, jesses, säger Rävfarmarn och grimaserar olustigt med sitt ärriga ansikte, ofta och ofta, det ligger ju nära till, och när en ändå har ärende in ...

– Jag tyckte det såg ut som du satt på Gubbabänken?

– Gjorde jag! Så fasen heller ... Jag var bara inom för och köpa lite salt, mor din ska ju göra i ordning en tina sidfläsk åt Lönbomskan, du vet ...

– Jaha. I vicket fall så är det ju ett helvetes tjyvsamhälle, om rikt folk ska kunna ta maten ifrån er, och skinnen blir du inte av med, bara för att nåra lyxhoror i Paris har fått för sig, att det bara duger med blåräv i år ...

– Det ligger väl mycket i vad du säger, men ... Du käre värld ... Vad tjänar det så till att en bråkar ... Det får du väl lära dig själv, med tiden ...

Olustiga till mods vänder de bort blicken och ser ner mot Styfs stuga, som märkligt nog har stått sig någorlunda de här två åren sen Abrahams död. Rödfärgen med vita knutar går an än så länge, och taket duger, bortsett från två eller tre bräckta tegelpannor. Framför trappstenen, en skårig gammal kvarnsten, ligger färskt granris i en prydlig vålm. Tomten är mestadels kålgård och potatisland, men det finns fyra äppelträd, gamla och knotiga men bärande ännu. På ömse sidor om trappstenen står luktärt, tegelröda ringblommor och fruset blekblå lupiner.

– Det ryker i skorsten hos Karolina, säger Erik. Men hon lär väl inte ha så mycket och stoppa i grytan nuförtiden?

– Hon har Signe på kafferep, säger Rävfarmarn. Dom lär väl ha åtskilligt och prata om, kan en tänka ... Som nu det här med ... Ja ...

Han biter av repliken och förbannar sin tanklöshet. Hade så när börjat prata skit om jäntan, Märta, ja, du käre värld ...

Tystnaden är kall. Erik ser ut genom fönstret med orörligt ansikte.

Men i stugan därnere sitter Karolina med sin dotter Signe vid det dukade kaffebordet. Här är putsat och fejat som aldrig förr, det finns ju inte längre nån karl som drar in med leriga stövlar, en karl att läxa upp och städa efter ... Den blårutiga vaxduken är kvar, på väggen hänger bonaden på sin givna plats. Det enda nya skulle väl vara, att Karolina inte längre har krukväxter i fönstret. Hon slängde ut pelargonerna när Abraham dog och har sen inte förmått sig gå till grannas och ta skott eller på annat sätt skaffa nya. Ja, det är besynnerligt kalt i fönstren, men annars är köket som ett finrum. Karolina har inte ens kunnat förmå sig att börja sova i kökssoffan, där Abraham låg det sista året som var. Hon ligger i kammaren på samma sätt som då, och trots ålder och krämpor har hon som alltid lika obegripligt lätt att somna. Men varje morgon när hon vaknar, rycker hon till av plötsligt oro: måntro Abraham ligger och väntar på sin passning, alltför beskedlig att säga ifrån, ja, nu är det bäst en snor sig opp och får fyr i spisen och kokar opp lite havresoppa, som en får hoppas till Gud han får behålla ... Så varsnar hon den djupa tystnaden med ens, minns att hon är ensam, och sorgen och saknaden bänder till i hennes hjärta. I två år snart har det varit sak samma, men Karolina vill inte ha det annorlunda. Hon föredrar att ligga kvar på kammaren, som hon gjorde den sista tiden. Insikten är alltid lika plågsam, men uppvaknandets flyktiga ögonblick av ovisshet och oro har blivit henne oumbärligt, detta dyrbara ögonblick, då Abraham ännu är i livet...

Moraklockan knäpper med ett ljud av förströddhet, den stora drasuten står väl försjunken i sina egna tankar, mens han mäter ut tiden i de fattiga smulor som är människor förunnade.

Det sprakar av en kådig granpinne i spisen. Gert har dragit hem granbångar från ett hygge på Svenskamerikanarns skog. Det är besynnerligt med den pojken. Han går sina egna vägar, Signe har väl inte längre nån hand med honom, och Svenssons fadersmyndighet ska en bara inte tala om. Men detta har han självmant tagit på sig: att hålla Karolina med vedbrand. Och skogsägarna i Hedeby blundar för snatterierna, även om det skulle stryka med lite famnved av och till. Till all lycka är det mestadels människor och inte bolag som äger vad skog som finns i Hedeby.

– Du får väl ta en skorpa, säger Karolina. Det är ju ett tag sen Märta var inom, och då blir det lite dåligt med doppa.

– Tack du, säger Signe. Kaffebröd är väl vad jag lättast kan avvara.

De sitter tysta. Namnet är nämnt, men ändå tar det emot att börja tala om Märta och vad hon senast haft för sig. Och Signe är inte ens säker på att Karolina kan vara till nån hjälp. Hon är så egendomligt förströdd. Det är som om hon redan hade vänt sig bort från de levande och bara blickade bakåt mot den döde.

Karolina rycker till ibland och vänder huvudet mot

dörren, det är något invant, som hon inte ens är medveten om. Utan att själv veta om det, sitter hon och lyssnar efter Abrahams steg. Det är lite retligt för en husmor att bli överraskad av mannen sysslolös och mitt i ett kafferep. Karln må vara aldrig så beskedlig och unna sin hustru den fattiga kaffeslatten och mer till; en skam är det likafullt att bli överraskad med händerna sysslolösa i knät. Det är nu en gång så med kvinnor på landet, och Karolina kan inte komma ur den gamla vanan. Utan att själv veta om det sitter hon och lyss efter stegen av en man, som längesedan gravlagts i mullen.

– Men vad vill du jag ska göra då? Det är Signe som bryter ut, till svar på tysta förebråelser från sin mor.

– Du måste väl prata med henne. Så här kan hon ju inte ställa det för sig?

– Vi vet ju inte ens om hon varit i lag med Pärsy? Hon säger själv att hon är fri för pojken, och jag tror henne, faktiskt ...

– Det kan ändå inte vara rätt. Ställa sig fager för en karl, när en inte menar allvar med honom, bara för och komma ut och kalasa och få presenter ...

– Men mamma, kan du inte förstå hur Märta känner det? Hon har ju varit hållen nästan som en hora här i trakten, sen den där gången med baron, och hon har fått gå dag ut och dag in på konditorit och höra pojkvalpar prata skit och försöka reda sig, så dom inte nyper henne där bak, och knappt har hon gått på dansbanan, så har pojkarna varit efter henne som rävar ... Det kan väl vara skönt för henne på sätt och vis att få kröka till en sån där högfärdig dyngtupp som Pärsy, så han bara får gå där och tråna med lång näsa ...

– Ja, inte vet jag, säger Karolina och spejar ut mot dörren i ett oroligt kast. Det är ju så mycket som är annorlunda nuförtiden . . .

Signe ser sorgsen ner på köksgolvets trasmattor, där remsor av det förflutna ligger sammanvävda: där är gula och röda trasor av storasystrarnas klänningar, där en flik av Abrahams blå flanellskjorta, där en strimla av den blommiga blusen, som hon själv hade till fint en gång. Och pappa är död och syskonen i Amerika, och mamma själv sitter halvt bortvänd från mitt elände . . .

– Men hur det än är, återtar Karolina, vore det väl bäst om Märta vart gift?

– Vem skulle hon kunna få? När hon en gång fått en klick på sig? Och inga pengar har?

– Inte var jag nån ängel, precis, säger Karolina, och ler åt ett minne. Nej, inte var jag så liljevit, och inte var jag rikare än Märta, när jag gifte mig med far din . . .

– Nej, men pappa var ju en riktig karl, och karlar är det inte så gott om . . .

– Nej, såna som han är det ont om, säger Karolina och stryker sin förströddhet ur ansiktet. Och nu är du väl ställd på det viset igen? Signe?

Och Karolina ser på sin dotter med dessa genomskådande, obevekliga modersögon, där den blå färgen grumlats av ålder, övervuxits av tidens hinnor, men ändå ser den skumögda gamla kvinnan snabbare och klarare än någon. Och Signe genomfars av en ilning av på en gång lättnad och skam.

– Jag vet inte riktigt . . . Det har ju gått över tiden? Men inte behöver det vara så illa ställt? Mamma?

Det är som om tiden hade vänt om i sitt lopp, som

hade hon återvänt till en gång för länge sedan, då de satt som nu vid detta bord, och Karolinas ögon såg med samma obevekligt kärleksfulla klarsyn. Och Signe får gråten i halsen och ser på sin mor med samma tiggande, undergivna blick som då, och ännu en gång väntar hon sig, som en okunnig och oresonlig jänta, att modern ska göra underverk och råda över naturen och förmå det gjorda vara ogjort . . .

– Det har väl hänt nån gång förut att jag gått så här pass länge över tiden, det är väl inte så säkert att det är nåt . . . Mamma?

– Du blir fyrti år till våren? Ja, det måste väl gå på något sätt . . .

– Jag vet inte, men . . . Det är ju inte så lätt, alla gånger? Jag hade ju varit ensam så länge, och så kom han hem, och det vart inte av att tänka sig för . . . En rår sig inte själv . . .

– Det är väl inget att säga om det. Vi är ju bara människor.

Signe pressar knytnävarna mot bröstet: fyrti år till våren, och visst är jag ställd på det viset igen, vad tjänar det till att försöka lura sig själv, mamma ser rätt, som hon alltid brukar göra. Å, du oresonliga, vettlösa kärlek, varför måste du störta oss kvinnor i fördärvet . . .

Det blir så tyst i köket, det saknas ord, och även berättaren sitter oviss och tyst framför sin text. Men nu reser sig Karolina och går runt bordet och lägger sin hand mot Signes hals, en beröring till tröst med anor från länge, länge sen. Ord kan vara knepiga att handskas med, smekningar ligger inte mycket för dem, men Signe ska åtminstone känna av att modern finns. Hennes skumma ögon spejar ut genom fönstret för att söka hjälp och råd.

– Det ska väl alltid gå på något sätt. Du får väl ta vad jag har kvar på sparbanksboken, till och börja med. Sen ska jag se till och få moraklockan såld, Lundewall är spekulant och säjer det är värde på klockan ...

– Har du träffat Lundewall?

– Jo, jag var inom och sökte för en vecka sen, som du sa åt mig och göra. För det här onda jag har i sidan.

– Men vad sa han?

– Jag tror inte han begrep så mycket. Han ville lägga in mig ett tag, på sjukstugan i Trosa, för och försöka lura ut vad det kan va ... Och så gav han bud på klockan.

– Men varför kunde du inte ha sökt förut ...

Karolina ler för sig själv och lägger handen på det onda stället. Springa hos doktorn och fjollas så fort en har lite värk, sånt passar då inte för oss. Sånt kan gå an för fina och bortskämda fruar i stan, som klär sig i silke och aldrig har så mycket som en släng av reumatism, ens en gång ...

– Det är väl inget farligt. Det ska nog gå bra.

– Men du kunde väl ha sagt nånting, åtminstone ...

– Vad är så det och prata om? Märta kan ju se efter stugan, mens jag är inlagd. Och så ska vi se till och skaffa pengar. Det ska nog gå bra.

Nej, Karolina, det ska inte gå bra, det vet du bara alltför väl. Den här gången är det bud efter dig, och allt du kan göra är att rusta i ordning före din resa, ja, ännu har du mycket att styra och ställa med. Du har inget av Urgubbens oanständiga livsvilja, och detta som förestår inger dig ingen ängslan, men ännu behöver de levande din omsorg för en liten tid. Det är för deras skull du har en bön att bedja – Gud, låt mig dö i rättan tid ...

Ja, allt är jag beredd att underkasta mig och tåla, om bara jag visste, om bara jag kunde vara riktigt säker ... O, ge mig visshet, övertyga mig och säg, att jag ska vakna på den yttersta dagen och återfinna Abraham, vilande på min arm ... Kom, livets natt, och ge mig åter honom jag förlorat – och du ska bli mig mera kär än livets dagar ...

9

Augusti – och Sörmland har inträtt i sin korta vila mellan slåtter och skörd, höstvetet vitnar under solhettan, gärdesglindret flimrar över rösen och hagar, medan krigsrykten mullrar som en åska vid horisonten söderut. Aldrig i mannaminne har det artat sig till skörd som i år, men vad har en för glädje av det, om nu Hitler söker sig hit och börjar rumstera i skafferit? Allt är så ovisst i år, så det rent söker en . . .

Men vi har väl inget ont gjort?

Vi har inte gjort nåt gott heller, säger Oscar Hesekiel, men han ska ju alltid vara lite ogin och motvalls.

Storgubbarna i Stockholm pratar om Neutraliteten med sina bästa högmässoröster, och Sverige har krupit ner i sitt hål som en rädd åkersork, i hopp att rovdjuren ska rasa förbi och ingenting märka. Men nuförtiden är man väl inte trygg nånstans? Och det saftlösa ordet Neutralitet är ju inte mycket att kasta i gapet på hungriga vargar? Nej, järnmalm och kullager smakar då bra mycket bättre, och när kungen hänger på herr riksmarskalken Göring alla kors och kedjor och medaljer han har, då är väl alltid något vunnet? Och när en bindgalen bolsjevik där nere i Tyskland försöker spränga Hitler i luften på ett ölschapp, då är det helt på sin plats, att regeringen luftar sin avsky för ett så omänskligt och bestialiskt dåd och uttalar sin ödmjuka förhoppning, att Ledaren till mänsklighetens fromma skall förbli vid god hälsa ännu i många år. Och alla missnöjda och judar och kverulanter går bums i retur till Stortyska Riket, fattas bara annat...

Så fläker moder Svea upp sig som en hora inför den mäktige och betraktar honom med tiggande, undergivna blickar, som en piskad hynda, och viskar undergivet: har jag gjort nog nu, eller begärs än mera av mig?

– Nu ska det väl braka löst i alla fall, säger Müntzing, för en gångs skull lite rubbad ur sitt högdragna lugn.

– Inte fan blir det krig, säger Lundewall sorglöst. Hitler är väl för klok karl för att ställa till med sånt, nu när han ändå får allt han pekar på...

Men Sill-Selim säger inte ett pip, han sitter bara blek och förströdd och stirrar hjälplöst över smörgåsbordets överdåd. Om det nu är nåt med vasatrissan? Eller kanske är det nåt nytt trassel med Nora som distraherar den blide disponenten? Eller världsläget, måhända?

De värda herrarna känner en viss skräckfylld beundran för Ledarens kraftfulla politik, utom möjligen Sill-Selim, som har judiska affärsbekanta och dessutom hyser en liten misstanke, att varken böcklinghandeln eller Noras giftasaffärer i längden är betjänta av ett världskrig. Men ofärdstiden kastar sin slagskugga, och därför har herrarna i en stämning av desperation beställt fram stort, extra smörgåsbord, en livsförnödenhet, som kanske inte blir så vanlig om kriget och nyordningen kommer. Lundewall har lyckats dra en växel i en aningslös jordbrukarbank i Eskilstuna, och har med plånbok i handen givit källarmästar Lönbom utförliga instruktioner – stort smörgåsbord, och efter oss syndafloden! Så talar en svensk man! Och Lönbom har visat nackbenan i en vördsam bugning för plånboken och svurit att tillställa en fest, som ska göra Stadshotellet heder och få Belsassars gästabud att te sig som ett kyrkkaffe i jämförelse.

Här sitter nu herrarna med knäppta händer inför altarbordet, tillrustat med liturgisk omsorg för fråssarnas högmässa, kulögt gloende och med snålvattnet droppande om hakorna.

Lysande linne, gnistrande kristall!

Här är inlagd sill och glasmästarsill, som erinrar morotsgarnerad huggorm, här är sillfiléer i senapssås och gräslöksgarnerade på isblock. Sill-Selims egna produkter breder ut sig lokalpatriotiskt på linnedukens blålysande snöfält: inlagd strömming, strömming i rulad, tomatströmming, nyrökad böckling i enedoftande trälådor, marinerad böckling, och böcklinglåda, puttrande på värmeplatta. Laxen förekommer rökad, gravad, och inkokt i skära basaltblock med dillspröt och kycklinggul majonnäs. Ålen fläker skamlöst upp sitt glansiga, rökta kött eller skälver av oro inkokt i gelé. Leverpastejen avslöjar en fuktig, rosafärgad kärna under sin sammetsgrå yta, rensteken lyser matt som opolerad mahogny. Prinskorvar spricker i grytan med ljud av saftiga kyssar, ostarna svettas av ångest, och potkäsen sprider en eggande odör av armhåla. Källarmästare Lönbom har inför plånbokens maktspråk kastat alla restriktioner till vindarna, och Selma har ställt in en halvliter av provinsens eget söta, fänkålsdoftande brännvin i silverhink med saltad krossis. Snapsglasens koner immas av den svala akvaviten.

Herrarna ser varann i ögonen med tårögd innerlighet,

knycker med nackarna och utandas ett fänkålsdoftande – Ah!

– Jag vet inte hur det kommer sig, viskar Lundewall, oförmögen att hejda sitt tåreflöde. Men det är nästan så det söker mig när jag ser så mycket mat och fylla på en gång . . .

– Inte ska bror ta det så hårt, säger den godmodige Sill-Selim, och klappar Lundewall på knät.

– Bäste bror företer tecken på den enda form av gripenhet, religiös andakt och hög ideell syftning, som vårt fosterland ännu kan prestera, anmärkte Müntzing med sin spetsiga röst. För övrigt får jag gratulera till växeln, samtidigt som jag beklagar min arme kollega i Eskilstuna, som får stå till svars på räkenskapens dag.

– Asch, vaffan gör så det om det blir krig?

– Brors vanliga tur i så fall. Jaja. På sätt och vis kan jag nästan förstå bäste brors gripenhet inför detta vackra stilleben. Det ger en tankeväckande påminnelse om vad kriget kan komma att beröva oss, och som vanligt är det vi i de samhällsbärande klasserna, som kommer att förlora mest. De breda massorna har ju ändå inga smörgåsbord att förlora, och vad man aldrig besuttit, behöver man som bekant inte heller begråta som förlust. Får jag proponera en skål?

Müntzing och Sill-Selim broddade aptiten med en halva, medan Lundewall drack brännvin som vatten och bevisade sin akademiska bildning med otuktiga snapsvisor, som fick Selmas härdade öron att rodna. Vid det småvarma infann sig en viss mattighet. Müntzing bekämpade en begynnande halsbränna med sodavatten, och

Sill-Selim gapade av övermättnad som en tvångsmatad strassburgergås. Bara Lundewall eldade på som förut, med otaliga ostsupar till potkäsen.

– Det kan bli för mycket av det goda, suckade Müntzing, bitter av sin oförmåga till ytterligare fråsseri, och med många sura sidoblickar på Lundewall, som oförtrutet åt och hällde i sig som förut. Är det inte bäste bror som brukar tala om krigets och försakelsens härdande stålbad, att det är bättre att hela vårt folk förgås och städer och byar brinna, än att vi förfaller till veklig materialism?

– Jamen, det är ju en helt annan sak, sa Lundewall, och hällde Lilla Manasse i sitt syndiga gap. En akademiskt bildad man kan väl för helvete inte räknas till folket?

– Ack nej, suckade Müntzing och dolde en rapning bak sin smala hand. För övrigt är det visst bara poesi, det där? Men vadan denna dystra uppsyn, broder Zetterlind? Är det familjen eller karriären som betrycker lilla fetthjärtat?

– Selim borde se till att få flickan betäckt, grymtade Lundewall. Det är ras på jäntan, och hon mår inte bra av att gå gall. Hör efter på Karlberg, så får du bra avelsdjur. Goda germaner! Utan språngavgift! Hä!

– Vasa, undrade Sill-Selim och vaknade till ur sina dystra grubblerier. Till all lycka hade han inte uppfattat den rusige rasbiologens förslag.

– Lundewall gör sig underrättad om dina förhoppningar, parerade Müntzing med mångårig vana. Om Majestätet, Gud förlåte min rabulism, förstod att rätt belöna den medborgerliga förtjänsten, då borde ju bror för länge sedan ha varit seraf, riddare och kommendör av Kunglig Majestäts Orden, med vapensköld i Riddarholmskyrkan, taburett vid Riksdagens högtidliga öppnande, och serafimerringning vid en, som vi alla hoppas, avlägsen jordafärd, eller åtminstone storkommendör av Vasaorden med gyllene kedja, bestående, om inte minnet sviker mig, av fyra heraldiska vasar och fyra holsteinska nässelblad av röd och vit emalj jämte tre gyllene spikar, alternerande med åtta blåemaljerade sköldar, exponerande svenska riksvapnet inom nitbårdar under kunglig krona, med sköldarna placerade på två korsade merkuriestavar och två likaledes korsade ymnighetshorn, som en osökt symbol för din ymniga produktion av prima böckling, allt sammanhållet med guldlänkar, och därtill kraschan av silver, belagd med krönt vase...

– Snälla Müntzing, bäste bror, tiggde den olycklige Sill-Selim, kallsvettig av gäckad ärelystnad, kan vi inte ta det där nån annan gång...

– Som ett absolut minimum, skriade Müntzing obevekligt och med kalenderbitarens extatiska sakkunskap, som ett absolut minimum i fråga om bevis på den kungliga nåden, kunde man i bäste brors fall tänka sig storkorset av Nordstjärneorden med kedja, bestående av elva dubbla, från varandra vända, blåemaljerade F – F som i Fredrik – under en kunglig krona omväxlande med tolv femuddiga, vitemaljerade stjärnor jämte briljanterad kraschan i form av malteserkors belagt med strålande stjärna och devisen "Nescit occasum", det är uttytt: hon vet ej vart hon faller... Detta, säger jag, hade varit vad bäste bror kunnat hoppas på, om du bara underlåtit denna kapitala dumhet, att donera dina surt förvärvade sillpengar till Jungfrulust... Selma, får jag en wichy-vatten!

– Hur i Herrans namn hade jag kunnat veta att det skulle gå så här, viskade Sill-Selim med vita läppar, förkrossad, förintad av Müntzings rundmålning av all den ära som gått hans näsa förbi. Vem hade kunnat tänka sig det här? Jungfrulust brukar ju alltid vara en bergsäker investering...

– Det finns inget bergsäkert i dessa ovissa tider, sa Müntzing och läppjade på sitt wichyvatten. Nu gäller det att ta nya tag, bäste bror. Landet vimlar ju av behjärtansvärda ändamål och behövande änkor och pupiller.

– Det är lätt sagt, mumlade Sill-Selim modstulet. Tiotusen goda riksdaler till Jungfrulust, dom snöt jag inte ur näsan. Och så har jag ju flickan att tänka på...

– Vad i helvete är det herrarna pratar om, undrade Lundewall. Jungfrulust? Tänker du sätta Nora på Jungfrulust, har flickan blivit på tjocken?

Müntzing grep in med en förklaring, medan Sill-Selim undergivet grät i servetten. Den svenska aristokratins och högborgerlighetens döttrar har sen urminnes tider periodiskt drabbats av den s.k. ”tyska sjukan”, som kurerats genom badresor till Marienbad och Aachen, där sagda döttrar fött sina horungar i lönn. Men järnkansler Bismarcks krigiska politik gjorde dessa utflykter en smula farofyllda, alltså, tänkte Karl XV, som av personliga skäl var intresserad av frågan, etablerar vi en svensk motsvarighet till dessa den beträngda kvinnlighetens asyler. För statliga medel inrättades i trakten av Mariefred det palatslika vilohemmet Jungfrulust, där otaliga stiftsjungfrur och grosshandlardöttrar kunde dölja en tillfällig förlägenhet undan omvärldens näsvisa blickar. Justitieminister Annerstedt gav genom sin egen livsföring anledning till asylens hastiga expansion och lät bokföra dess utgifter under justitiehuvudtitelns representationskonto. Men behovet av nyinvesteringar var permanent, och donationer uppmuntrades och honorerades prompt med ordenstecken av en valör, som avpassades efter beloppens storlek. Rikemän med horiska döttrar kunde därmed på en gång försörja sin avkomma och smycka sina frackbröst, och Jungfrulust var på alla sätt en välsignelsebringande och fruktbar inrättning. Asylen var självfallet öppen bara för bättre mans döttrar av ädel vandel. Flickor ur de breda massorna, som råkade i samma klammeri, fick i vanlig ordning ge sig till horor eller gå i sjön, följda av förbannelser från predikstolar och ledarspalter. Men nu kom där en riksdagsman, en herr Hagberg vill jag minnas, och upptäckte Jungfrulust vid lusläsning av statsverkspropositionen, och interpellerade argsint i riksdagen om folkets skattemedel och deras rätta användning. Och Per Albin släppte Jungfrulust som en het potatis, och Hans Majestät strök försiktigtvis alla donatorer från listan av riddarekandidater.

– Zetterlind, sa Gustaf V, medan han härjade med rödpennan, det namnet förefaller Oss bekant.

Ja, så ligger det till. Säg sen att inte Sill-Selim har otur.

– Rök du din böckling, Selim, säger Lundewall tröstande, och ge fan i världens flärd. Snart får vi nyordning här i landet, och då blir det slut på ordensväsendet. Möjligen med undantag för Järnkorset.

– Det låter som bror skulle välkomna en nyordning?

– Vad som helst är bättre än kommunister och bönder och sossar. Men det är klart, om ryssen kommer våra fjäll för nära ...

– Ryssland, sa Müntzing föraktfullt, en koloss på lerfötter. Fördömda halsbränna ...

– Den ska vi kurera med kaffe och punsch. Selma!

– Bäste bror måtte ha en fysik av järn, spekulerade Müntzing. Med en lever konstruerad som ett durkslag av rostfritt stål. Kyrkoherde Ahlenius skulle förmodligen säga, att bror har buken till gud ...

– Kasta inte sten i glashus, du!

– Men detta var alltså Ahlenius tänkta omdöme, inte mitt. Nej, bäste bror, jag har minst av allt någon anledning att förhäva mig. Handen på hjärtat, mina herrar, hur är det egentligen med vår ursvenska tro och lojalitet? Gud, Konung och Fädernesland hette vår treenighet en gång i världen, men den ter sig i dag tämligen rötslagen. Har inte fosterlandet på ett betänkligt sätt kommit att sammanfalla med det smörgåsbord, vars kvarlevor lilla Selma i detta nu kalasar på ute i köket? Jag är ingen rabulist, men jag kan på ett ungefär föreställa mig vad den slyngeln Oscar Hesekiel skulle säga: det är smörgåsbordet du vill försvara mot ryssarna, min bäste Lundewall, men Hitler, som låter dig behålla smörgåsbordet, vill du ta emot med öppna armar ...

– Är du alldeles förbannad, karl, tvivlar du på min patriotism? Selma!

– Nej, på intet sätt, detta var bara Oscar Hesekiels tänkta omdöme ... Gud bevare Konungen och Fäderneslandet, ja, det var då det ... Vi celebrerade majestätets åttioårsdag i fjol, med storartad glans och pompa, men i dystra stunder frågar jag mig, om inte detta var cirkusens stora tack- och avskedsföreställning ... Vi hyllar den gamle avguden av tacksamhet för att han inte längre kräver människooffer av oss, men snart lär vi upptäcka, att han inte heller har några goda gåvor att ge, och då kan han saklöst begabbas och slängas på soptippen ...

– Jag vördar min Konung, sa Sill-Selim med ovanlig bestämdhet. Jag är rojalist.

– Visst gör du det, bäste bror, visst gör du, fattas bara annat. Men om nu din konung inte hade denna goda gåva i gröna bandet att ge dig, var skulle du då hänga upp din rojalism? Och vad nu Vår Herre beträffar ...

– Smädar du Fädernas Kyrka blir jag förbannad, sa Lundewall.

– Jag tycker det är stämningsfullt att gå i kyrkan, viskade Sill-Selim. Och det skäms jag inte för.

– Visst är det stämningsfullt, bäste bror, i synnerhet för dig som har en dotter att gifta bort i kyrkan. Men bortsett från kyrkbröllop och julotta, vad övrigt återstår? Om du någonsin på allvar funderat på svenska kyrkans trosartiklar, vilket du naturligtvis inte har gjort, då skulle dessa trosartiklar verka rent fjolliga på dig, som är en solid och förnuftig karl ...

– Bror har inget hjärta, sa Sill-Selim modstulet.

– Vad fan går det åt dig, Müntzing. Har du blivit bolsjevik?

– Ack nej, sa Müntzing nedslaget, det är bara halsbrännan som sätter åt mig, och ska man sitta i en bank och bevilja lån får man en viss benägenhet att genomskåda illusioner. Tja! Och det kan väl inte hjälpas, att man lätt faller i trista meditationer över kyrkans makt över sinnena, när man hör talas om den kyrksamhet, som hastigt påkommit herrskapet Brunzén...

Den irriterade stämningen löstes i skratt, som Müntzing riktigt nog hade avsett. Lundewall råmade som en klöverstinn oxe och Sill-Selim kluckade belåtet. Och det lär väl inte heller kunna förnekas, att herrskapet Brunzéns kyrkogång mer tål skrattas än suckas åt.

Stockholmaren Brunzén med sitt följe av horor hade avlagt turistbesök i Hedeby kyrka och funnit den minst lika stämningsfull som Sill-Selim. Hororna hade gripits av hjärtnupna minnen av barnaårens oskuld och konfirmationens vita klänningar och sedesamma knäppkängor. Med smekord, karesser och andra tjänliga medel hade de övertalat Brunzén, att hela följet skulle bevista söndagens högmässa och därvid också träda till altarskranket och anamma Herrens Heliga Nattvard. Ahlenius hade blivit åtskilligt konfunderad, då han utom sitt vanliga klientel av käringar från ålderdomshemmet fann bänkarna fullsatta av hårdsminkade och brokigt utklutade horor. Vid nattvardsgången stormade skökorna fram till skranket, gråtande av en andakt, som målade deras ansikten strimmiga av upplöst mascara, och gav Ahlenius yrkesskickligt smäktande blickar då han stoppade oblaten i deras syfilitiska gap. Även Brunzén hade halats fram till den heliga akten, dock utan avsedd verkan, ty Brunzén hade svärjande knotat över den tunna lanken, och vid postludiet hade han tänt en corona för att få smaken ur mun. Men då satt Ahlenius redan i sakristian, fromt uppskakad över detta anslående bevis på bot och bättring och andligt uppvaknande.

– Jag ser Guds hand, förklarade Ahlenius vid kaffebordet och lade fyra sockerbitar i koppen. Det är uppenbart att dessa olyckliga vilseförda har gripits av samvetsnöd över sitt leverne, och jag ser det som min heliga plikt att återföra dem till fadersfamnen och kyrkans gemenskap.

– Snälla pappa, gör dig inte till ett åtlöje, sa Oscar Hesekiel utttråkad, och även den förtrampade fru Ahlenius vågade sig fram med en kvidande protest. Men Ahlenius missionsiver stod inte att avkyla. Redan på måndagen lät han sig fraktas i droska till Brunzéns sommarstugor vid Gieddeholmsviken, med hjärtat bävande av fromt jubel och famnen full av uppbyggelseskrifter. Familjen Brunzén var som vanligt i skiftande stadier av nakenhet, men herr och fru Brunzén tedde sig anständiga till nöds och gjorde redbara försök att bemöta kyrkoherden hövligt. Fru Brunzén killade honom vänligt under hakan och herr Brunzén bjöd på förmiddagsgrogg och cigarr. Situationen inbjöd inte till förkunnelse, men dekorum var någorlunda iakttagen, ända till dess att Dorotea, den tanklösa slynan, kom larvande ut från sin sängkammare, iklädd svarta nätstrumpor, nattstånden parfym och för övrigt ingenting alls. Dorotea gäspade som en katt och kliade sig under brösten, då hon plötsligt blev varse den stirrige och skräckslagne prästen, uppgav ett glädjetjut och hoppade upp i hans knä med professionell fermitet. Ahlenius fann sig med ens halvkvävd av naket kvinnohull, överhöljd av slaskiga kyssar och föremål för sådana smekningar, som knappast är förenliga med ämbetets värdighet och heder. Han flydde högljutt skriande med uppskörtad prästkappa och efterlämnade en binge uppbyggelseskrifter, till vad verkan de hava kunde.

Minnet av Brunzéns kyrkliga mellanspel hade lättat stämningen på stadshotellet och förjagat intrycket av Müntzings kätterier. Lundewall hade rörts till ädla känslor av starkvarorna, och sjöng i hög stämning beväringsvisor, studentsånger, kungssången och "Vår Gud är oss en väldig borg". Müntzing och Sill-Selim stämde in efter förmåga. Sålunda avfirade herrarna fredens förvekligande tider och hälsade en ny och möjligen heroisk epok med dess härdande stålbad. Augustimånen över Trosa bleknade av oljudet.

– Mycket svin får en ha och göra med i det här yrket, filosoferade Selma i hotellköket. Men ett sånt svin som Lundewall har en väl aldrig sett maken till? Han duger knappt till och göra kompost utåv. Om Lönbom är beskedlig och ger mig nyckeln till lidret, så ska jag köra hem han i dragkärran.

10

Ja – hur ska nu detta kunna berättas?

Detta som nästan är mer, än Hedeby kan rymma och härbärgera. Denna skandal, som är så stor, att den sprängt bygdens stenmurade vallar för att strömma ut som nyhet i hela riket. Ja, även de stora huvudstadsdrakarna har vänt sina huvuden bort från konvulsionerna nere i Europa för att nosa eftertänksamt på Hedeby och sedan släppa ut lite svavelosande rök: upprörande vandalism och sedernas förvildning...

Och detta av en Kronans karl?

Urgubben saknar ord. Tyst som en åldrig ödla vilar han på Gubbabänken. Hans knytnävar har öppnats i en bedjande gest på knäna: kan då ingen skänka mig en förklaring som allmosa? Vad ska en nu kunna tro på? När till och med en Kronans karl gör sig skyldig till upprörande vandalism, överlagd stöld och sedernas förvildning?

Att Pärsy har gjort inbrott i Handlarns butik, vare det nog sagt. Att en Kronans karl har skakat den samhällets grundpelare, som heter äganderätten. Att tiden är ur led och sedernas förvildning.

Den brottslige var senast synlig i Gravens backe, där han full som en kaja skriade ohörbara haranger ner mot kalkbruksarbetarnas egnahem i Epadalen. Han torde därpå ha tagit sig över ån och upp mot skogarna norr om Valla. Enligt tillförlitliga källor går polismyndigheternas undersökningar i en bestämd riktning. Enligt hedebybornas inbördes uttalade uppfattning går polismyndigheterna och fjollas ungefär så vettlöst som en kunde ha väntat sig. Fjärsman har väl inte gjort nåt i rättvisans tjänst sen hösten 36, då han beslagtog apparaten för Nils, som av nån anledning ådragit sig Handlarns ilska, och han och Länsman far fram och åter i automobil, planlöst irrande som ett par fosforförgiftade råttor.

Enklast vore väl att vänta tills pojken kom framkrypande godvilligt ur nån buske? Men får Länsman som han vill, ska väl hela Södermanlands regemente uppbådas till skallgång. Ja, det ska till mycket buller och bång, bara för att Överheten ska få visa sin myndighet och makt, och för att Länsman, dumfan, ska få visa sig märkvärdig. Bara för att en vilsen pojkdrummel gått och ställt sig i olycka.

Men nog har han mökat ner nåt så gudsigförbarme? Han bände ut ett par plankor och tog sig in bakvägen, genom magasinet, det var enkelt som ett nix, Handlarn litar väl på den skräck han sprider, och har inte tagit det så allvarligt med säkerheten. Nå, de stora pengarna kom han inte åt, ty kassaskåpets lås under riksvapnets trygga sköld av mässing lät sig inte bevekas av kofoten. Men hela växelkassan fick han fram ur lådan, och brännvin så mycket han orkade bära, och sen svinade han ner det värsta han kunde, vräkte gryn och mjöl och sirap på golvet, tömde silltunnan och målade med tjära arga och entydiga ord på väggarna. Upprörande vandalism och sedernas förvildning.

Det luktar grönsåpa, lut och nyskurat i butiken. Signe fick sig ett litet reveny på rengöringen, och sådant kvinnogöra är hon ju van vid: att ställa i ordning efteråt när karlar har svinat ner.

Sade Rävfarmarn: egentligen hade det väl likat sig bättre om Märta hade torkat opp efter pojkfan? Som det nu var ställt med saker och ting?

Och det låter sig ju sägas.

Och nu är han inte god, Handlarn. Motgångar i affärslivet får en ju räkna med, även för den bäste går det upp och ner här i världen – men detta! Att bli lurad på bytet nån enstaka gång, låt vara, men när räven själv blir uppsökt och plundrad i sin lya!

Han står vid disken, utklädd som han brukar vara vid enstaka tillfällen. Vanligen går han i väst och skjortärmar med reverser och stämplade papper i händerna, och då är hans röst ett milt och kattlikt spinnande. Men i dag står han fram i sin andra uppenbarelse: fattig men hederlig handelsman på landet, med grönt storförkläde och vita lösärmar och skärmmössa och den ynkligaste pennstump bak örat. Och hans röst har plötsligt blivit skrikig och gäll, ibland bittert klagande – regeringen och skatterna – ibland förtörnad och ondsint. Rulle är satt till inventering i magasinet, för att salta på notan till försäkringsbolaget Merkurius & Moder Svea. Och Handlarn beskriver i ondsint skrikiga ordalag, hur ett avskum som Pärsy borde tuktas med daggen och med häkte på vatten och bröd... Vart barkar det hän med vårt land? Va? Ja, inte vet jag!

Urgubben sitter förstenad som en åldrig ödla. Men

Andersson flammar upp i en liten protest för att freda sitt samvete.

– Fick han som han ville skulle han väl gasa ihjäl pojken med forden, som han gjorde med Tok-Harry...

– Va sa Andersson? Jag hörde inte riktigt, skrek Handlarn.

– Nä, det var ingenting, just...

Och Handlarn filar vidare sina gälla djävulsdrillar på soloviolinen: fattig men hederlig handlare på landet, snart sover en väl inte säker i sin säng, slödder och patrask, och det vill till att det blir lite tukt och ordning här i landet... Va?

Och gubbarna slokar vanmäktigt på bänken: det finns inte särskilt mycket möjligheter ens i vardagslag att sätta emot och ge Handlarn svar på tal, och nu efter den stora skandalen är de nästan helt förstummade: inbrott och vandalism och sedernas förvildning...

Det luktar lut, grönsåpa och nyskurat i butiken.

Men på träbron över ån där bortom butiken huserar en församling, som inte låter sig nedtystas av någon makt i världen. Det är småpojkarnas parlament, Lars, Torsten, Gert, Tore i Skällsta, Sven i Skååäng och Axel Weber, som avhandlar den stora händelsen, uppkrupna som fåglar på de livsfarligt murkna räckena. Glömd är den gröna, sorlande Sillerån med alla dess nöjen, glömda är krigshot och militärmanövrar och andra eggande ting, i dag överskyggas allt av Pärsys stordåd: att bryta sig in i Odjurets håla och beröva honom hans skatter. Pojkarnas obevekligt klara fågelögon hade redan börjat genomskåda Pärsy som skrävlare och fjant, när denna stora händelse på en gång kastade alla värderingar huvudstupa. Pärsy är en rövare och en stigman och en fredlös och en fågelfri, en halvgud att tillbe och beundra, en bekräftelse att friheten är möjlig.

Könets tvång och omsorgen om det dagliga brödet har ännu inte förstenat den dröm om frihet, som bultar i pojkarnas ådror. Länge har de trott, att friheten flög med surrande propeller i luften, och de har pekat ut friheten för varandra och givit den namn: där är Hawker Hart och där är Fokker och där är Gloster Gladiator ... Men i dag skulle inte ens det väldiga bombplanet av märket Junkers kunna avvända deras intresse och dyrkan från den förkroppsligade frihet, som i vardagens värld går under namnet Pärsy.

Kanske att han har byggt sig en koja i skogen, där han vilar fri och oåtkomlig, klädd i djurhudar som en Tarzan.

Säkert har han bössan med sig, så han kan skjuta sig en älg och steka till middag, och så han kan försvara sig mot Fjärsman och andra det vuxna samhällets föraktliga tjänare.

Kanske att han har stulit från Handlarn för att ge åt de fattiga, säger Axel Weber, som har läst mycket om friheten i böcker. Kanske att Pärsy är precis som Robin Hood i den här boken om Ivan Ho?

– Ja, Handlarn kan ju va av med pengarna, säger Gert, som tidigt blivit praktiskt sinnad i sin syn på livet. Och nog finns det många här i Hedeby som kunde göra med en tia eller så?

Pojkarna tiger och förstår. De har alla varit med om att stjäla ved till Gerts mormor, Karolina Styf.

– Såna som Emma i Eneby, förtydligar sig Gert. Hon

har det ju inte för fett?

Ja, Pärsy har givit dem en ny frihetsdröm sedan årensningen på Flotten är en saga blott. En gång kunde de drömma om att växa in i männens gemenskap på Flotten, men inte bara för att underkasta sig den krassa nyttan, så som de vuxna gör i sin besynnerliga modlöshet inför livets oändliga möjligheter, nej, deras dröm hade varit, att sätta fulla segel och fortsätta resan nedför ån, ut genom åminnet till havet och alla dess äventyr och lockande horisonter. Men nu är Flotten ersatt av ett mudderverk, som entonigt står och slaskar i vassen där nedanför Alby, och mudderverket är inte mycket att hålla sig till med fantasi och känsla. Men så har de vuxna bestämt. Att vara vuxen tycks vara att äga alla möjligheter i världen och sen inte ta möjligheterna till vara.

Pärsy, stigmannen, den fågelfrie, skogens son... Det finns en möjlighet till frihet, det finns en möjlighet att fly...

Barska fadersbasar och gälla modersröster kallar på dem i detta nu: Tore! Torsten! Axel! Sven! Märkvärdig pojke som inte kan göra lite nytta för sig och ströa under svinen och plocka för hönsen och ta in lite ved... Nyttans och vardagens barska eller gälla röster kallar på pojkarna, och som vanligt lyckas de hålla sig undan i frihetens riken, dit de vuxna aldrig når. De kan fly till hagmarken kring dansbanans åttkantiga speldosa för att bespeja storpojkarnas kärlekslekar i backarna – är storpojkarna inte riktigt kloka? De kan fly ut i skogarna för att dra i jägarkedja och skjuta bomskott med armborst på ekorrarna. De kan fly till den varma gröna ån, till fisket och badet och dykandet efter musslor, som enligt frihetens och möjlighetens lagar egentligen borde innehålla sagornas kostbara pärlor...

Och i dag har de flytt till sin tingsplats på den halvmurkna, silvergrå bron för att överväga de nya möjligheter, som Pärsy öppnat för deras känsla med sin hjältebragd. Nyttans barska eller gälla röster kallar på dem förgäves, pojkarna har redan vunnit en tillflykt i det gränsland, som vetter mot friheten och de oändliga möjligheternas vidder.

Det finns en utväg, det finns en möjlig frihet, Pärsy den fågelfrie har anvisat dem en väg.

Ohörda skallar Nyttans gälla eller barska röster runt stuguknutar och lagårdsbackar.

*

Vid stambordet under den höga lönnen i Turisthotellets uteservering sitter en helt annan församling: Svensson, Stora Småland, Olle i Vreten och Ville Vingåker. De avhandlar Pärsys bragd i tonfall av motvillig respekt: pojkfan har ju gjort vad många velat men ingen vågat. Och varför han gjort det, vad det nu är för desperata behov av medel och ekonomiska utvägar, det kunde en ju möjligen diskutera, om nu inte frågan var så ömtålig och inkiätt...

– Helvetes grann doter du har, Svensson, säger Ville Vingåker oförmedlat, flinar stilla i sitt djupa rus, och kliar sig i skäggstubben med sin stympade tumme.

Avskummets parlamentariker ser sig om för att möjligen upptäcka den granna, unga servitrisen på Ohlsons Hov-Conditori, men Märta står ingenstans att finna. Och vad som kan ha föranlett denna Ville Vingåkers opåkallade anmärkning, ja, det kan ju den spekulera över som så önskar ...

– Hon brås på mej, säger Svensson, tanklös och självbelåten, åter sitt gamla jag och en god kumpan. Han har lagt ut av den gamla vana öldieten, har åter fått sin barnsligt mjuka rondör, och den blonda skäggstubben växer vilt som i forna tider. När han kom ut från häktet i juli hade han ett ryck av arbetsvilja, och gjorde åtskilliga dagsverken i slåttern hos Lille-Lars i Näsby. Men de goda föresatserna föll hastigt av honom, det fanns gunås för många hål att stoppa i, det förslog ingen vart hur än man gnodde, och hur det nu är, så rår en sig inte själv. Och Svensson sjönk omärkligt tillbaka i sin gamla tillvaro, med tillfälliga påhugg och en och annan ömtålig förrättning för Handlarn och långa vilsamma dagar i den solfläckiga skuggan under stambordets jättelönn. Det tjänar inget till och försöka, en rår sig ändå inte själv ...

– Men nog är det synd om pojken, vädjar Stora Småland. Nu när det såg ut och reda opp sig för honom, med det militära, och sen kunde han ha fått bra knog efteråt och kanske kunnat gifta sig och så ...

– Vaffan pratar du för skit, säger Olle i Vreten. Gifta sig, skulle nu det vara nåt och stå efter?

– Det är väl inget fel på och gifta sig, säger Småland, och hans breda bringa hävs av en suck. Han har genomgått en märklig förändring, Stora Småland. Han är nyrakad mitt i veckan och hans hår är glansigt av briljantin.

– Gifta sig, säger Olle konsternerad, vaffan är det med dig, karl, har du gått och vurti relischös?

– Ja, nog är det en helvetes grann doter han har, Svensson, återkommer Ville lika oförmedlat som förut och kluckar lite smått. Hur är det, gubbar, får en bjuda på en tuting?

Ur sin innehållsrika kavaj får han fram en halvliter, invirad i ett nummer av Folkets Dagblad. Och Avskummet stirrar med gapande munnar: detta är lika kärkommet och oväntat som manna för Israels barn i öknen, ty föreningskassan är som vanligt i sin, och alla har varit resignerat inställda på att försöka få en ensam pilsner att räcka dagen ut. Och så kommer Ville med en jungfruligt oskårad halvliter – har han vunnit på tips? Har han fått ärva? Men Ville bara ler sitt rusigt fördrömda leende, när han spär på deras ölglas till mustiga luffargroggar. Det är nåt underligt med Ville i dag, och ska sanningen fram var han väl pirum redan när han kom? Låt vara att han kan konsten att dölja sin fylla så som höves på en granntyckt lokal, och Villes berusning är mycket riktigt glasartad och stilla som kalvsylta.

– Om vi skulle ta och spä på sorgerna lite grann, proponerar Ville galant.

– Tack, inte för mig, säger Småland och ansar tyckmycket sina pomaderade lockar. En får väl ta det lite varsamt med gusslånet?

Nä, nu jävlar och slå alarm . . .

Sitter Stora Småland och säger nej till brännvin? Avskummet sitter i förstenad förvåning och gapar som fisk på land. Lysande solfläckar, silade genom lönnens grenverk, dansar över ruggiga gestalter, och trädets frönäsor singlar ner för att drunkna i ölglasen. Tystnaden är kompakt och nästan förfärad, mättad av förebud och aningar om uppbrott och omvälvningar i denna trygga och skyddade värld. Stora Småland sitter nyrakad mitt på blanka vardan och säger desslikes nej till en halva. Vad ska detta betyda? Har han gett sig till goodtemplare, eller har han vurti baptist? Är han inte längre god lutheran? Ja, ovisst är, vad detta månne innebära ...

Men inte bådar det gott.

*

Oscar Hesekiel fann Signe ensam hemma, som han också beräknat. Var Gert håller hus har hon upphört att gruva sig över, var Svensson kan vara är bara alltför lätt att föreställa sig. Även Berit är ute och ränner, ovisst var. Jaja. Om det bara inte var för den här värken i ryggen.

Oscar Hesekiel betraktar henne prövande. Signe har börjat bli så egendomligt vilsen och förströdd. Hon flammar inte upp och tar eld längre, hon bara ligger och pyr. Det måtte vara något som trycker henne.

Oscar Hesekiel ser på Signe med manligt oseende ögon.

– Det är nåt som trycker dig, säger han. Du är dig inte riktigt lik?

Och hans blickar börjar flacka i det förfallna köket, som stinker av vanmakt och snusk. Hur han än försöker, kan han inte undertrycka sina kultiverade sinnens känslor av vedervilja. Men Signe märker det bara alltför väl och känner sig en smula sårad och kränkt. Pröva på själv, du, får du se hur gott det är. Vill du bara umgås med en fattigdom som luktar ådekolonj, lär du få leta länge.

Under köksbordet sitter Agnes Karolina och leker med sina stenar. Med oändligt tålamod försöker hon foga dem samman till ett bygge, som påminner om ett torn. De två vuxna hotar ideligen att rasera hennes arbete med en ovarsam rörelse, som får Agnes att hålla andan och se med orolig blick på sitt bräckliga bygge.

– Är det nåt du inte vill säga, envisas Oscar. För nånting är det ju?

– Jag har lite ont åt ryggen, svarar Signe strävt. Sen jag gick hos Handlarn och skura.

– Du går för mycket ensam, Signe. Du borde söka dig sällskap, av din egen klass. Det går ju aldrig utan sammanhållning och solidaritet.

– När skulle jag ha tid med det? Och vem skulle jag vara i lag med? Mamma kanske, eller Emma i Eneby? Dom har det väl som jag, ungefär, men inte bryr sig dom om politiken? Dom vill ju bara leva sina liv så drägligt det nu går.

– Drägligt, ja, men det blir ju aldrig drägligt om ni inte håller ihop. Det är ju det du måste förklara för dom?

– Tror du inte jag har försökt? Men det är som att leka blindbock i ett mörkt rum, jag trevar och trevar, men jag hittar dom inte, jag når inte fram . . .

– Jaja. Men jag hoppas du inser, att det är såna misslyckanden det bestående samhället är bäst betjänt av.

Det blir en olustig tystnad emellan dem. Hit kommer han dragandes med sina höga krav och sina vida vyer och våra vanligaste främmande ord. Lätt för honom som bara sitter och läser dagen lång, putsad och finklädd i en välhållen prästgård, uppassad av mor och systrar och piga. Mens jag får stå och fäkta mitt i vardagens bekymmer, som i ett moln av mygg och knott.

– Var det Pärsy du kom hit för och tala om, frågar hon strävt. Och allt elände han har ställt till med?

– Pärsy? Jaså, du menar inbrottet ...

Han rycker på axlarna och ser sig om i köket med en min av olust som berör henne illa. Jo, du Oscar Hesekiel, där har du allt en skillnad oss emellan: du talar vackert om din solidaritet med de arbetande massorna, men när det blir för drygt för dig här i min stia, då kan du bara ta till schappen och bege dig hem till din fina prästgård. Men jag har ingenstans att ta vägen. Jag måste stanna där jag är.

– Ska det nu vara solidaritet, säger Signe, då måste det nog också vara solidaritet med Pärsy?

– Jamen, det är ju en helt annan sak ...

– Hurdå annan sak?

– Ja, det är svårt att förklara, jag vet inte hur jag ska säga ...

Han rör sig besvärat och jämkar på pinnstolen, och därmed råkar han också sparka till och rasera Agnes Karolinas mödosamt uppförda babelstorn av sten. Han märker det inte ens. Flickan ser med orörligt ansikte på förödelsen. Därpå samlar hon de spridda stenarna och börjar åter sitt svåra, ömtåliga bygge, med det egensinniga barnets outtömliga tålamod.

– Förklara du bara, säger Signe trotsigt. Så helsikes dum är jag inte ändå.

– Ja, det där inbrottet, säger han olustigt, vad ska man säga om det? Vad annat kunde man ha väntat sig? Det är ju så förtvivlat typiskt och banalt, det där. Pojken var ju omedveten och blind som en nyfödd kattunge. Och när det sen, tja, händer nånting, som gör att han upplever sin vanmakt, då har han inga andra utvägar än att slå blint omkring sig, som ett frustrerat barn...

Frustrera, tänker Signe trött. Det ordet måste jag slå opp. Och se vad det betyder. Frustrera.

– Kanske kan man kalla det för en sorts omedveten politisk revolt, spekulerade Oscar Hesekiel. Och som sådan, som revolt, är den naturligtvis helt verkningslös och förfelad. Jag menar, sådana revolter kan ju samhället absorbera nästan hur mycket som helst, eller acceptera som ett harmlöst alternativ till den politiska revolten. Det skulle inte förvåna mig, om man började simulera humanitet och tillät sig börja dalta med förbrytarna, det vore ju ett kriterium på deras harmlöshet. När samhället reagerar med brutalitet på den så kallade förbrytaren, då kan man också förutsätta, att det föreligger en seriös politisk revolt. Vilket det alltså inte gör i det här fallet. Men det är klart, för barnsliga sinnen kan han väl te sig som nån sorts Robin Hood. Tja! Kalla det omedveten anarkism, om du så vill...

– Jo, det kan nog vara, men... Vad ska en ta sig till med pojken?

– Vem?

– Pärsy, förstås, han har ju gått och ställt sig i olycka, och nåt vettigt borde en väl kunna göra för och hjälpa honom?

– Jamen, kära du, jag är ju bara intresserad av fallet som socialt symtom, vad sen individen beträffar kan du väl inte begära att jag ska...

– Visa solidaritet? Var det inte det du talte om? Det går aldrig utan solidaritet.

– Men för tusan, Signe, kan du inte begripa, skrek han

otåligt och slog med handen i luften för att krossa hennes futtiga resonemang.

– Nu låter du precis som Svensson, sa Signe stilla.

– Ja, förlåt, men... Du måste försöka förstå. Det finns för många människor, det finns för många fall av enskild nöd... Vi måste samlas i den politiska kampen och först lösa de stora problemen...

Men nu går det i dörrn, och Märta stiger in med sina brödpåsar i famnen, hon har sin lediga eftermiddag och kväll, ja, herregud vad tiden går, det har ju redan börjat skymma...

– Är du här, hälsar Märta, inte vidare hövligt precis. Märta tycker inte om Oscar Hesekiel, det är nåt fel på den figuren. Ibland ser han på henne som vilken karl som helst, jo, den blicken känner hon igen, men ibland anlägger han en spydigt genomskådande blick, som gör henne osäker och vilsen. Hon känner dunkelt att det är nåt fel på Oscar Hesekiel, en stor svaghet blandad med en stor styrka, ett fel som får henne att skygga undan, också från det politiska.

– Vi satt och prata om Pärsy, säger Signe, tanklös av sin djupa trötthet.

– Ska nu det vara nåt och prata om, säger Märta. Och hon rodnar häftigt och biter i sin röda hårtest, kluven mellan skam och en trotsig känsla av stolthet: nå, än sen då, om han ställt sig i olycka för min skull, kan jag hjälpa att karlar blir som tokiga... Förresten har jag aldrig bett honom gå och ställa till med det där.

Och Signe genomilas av plötslig sorg: så är det att vara kvinna, Märta har en makt över män, som hon inte ens har nån glädje av, och jag lever i vanmakt, bunden vid en oduglig karl ... Allt det där ska bli bättre i ett annat samhälle, säger Oscar Hesekiel i sin visdom, men det samhället lär inte komma i brådrasket, som det verkar ...

– Har du varit på sjukstugan, undrar Märta.

– Nej, det blev aldrig av. Jag hade så mycket och göra hos Handlarn, du vet. Men jag ska väl ta med småflickorna på söndag, för och hälsa på ... Jag hade tänkt mig elvabussen till Trosa, om du skulle ha lust och följa med ...

– Nej, jag tror knappt jag hinner, jag har redan avtalat med ... Ja ... I vicket fall som helst måste jag inom och se till stugan i kväll. Jag ger mig i väg på en gång, tror jag. Du får väl hälsa mormor?

Och Märta vänder och går och Oscar följer henne med blicken, omedveten om sitt stela, försmädliga leende, med ens förgiftad av ironi och förstenad av leda ...

Femtio kilo kött, välplacerade fettceller både fram och bak, hudpigment i fräknar, skygga, gröna ögon, beslöjad altröst – voilà tout ... Och för detta blir en ung man förbrytare? Oförnuft, vansinne ... Och rivalen, Erik Gustafsson, kastar sin klarsyn och medvetenhet för vinden och blir ett hjälplöst, oskäligt offer för en meningslös och förödmjukande kärlek ... Jämför i gängse romanlitteratur om Den Stora Passionen, de sysslolösas favorithobby, överklassens njutningsmedel, men här i Hedeby lika irrationell och malplacerad som ett bortklemat sällskapsdjur i en lagård ... Den Stora Passionen i Hedeby: att bete sig som ett fån och skita ner i en speceributik ... Å, hur ska jag få liv i denna döda massa av oförnuft, det är som att försöka rubba en jordfast sten ... Fast, det är ju klart, när man ser henne så här och har henne inpå livet ... På sätt och vis kan jag nästan förstå dem ...

Agnes Karolina fick än en gång se sitt stenhus raserat, när ytterdörren föll igen efter Märta. Tålig som ett litet djur, orubbad i sin föresats, började hon ännu en gång sitt vanskliga bygge. Nån gång måste det väl äntligen lyckas? Inte i dag och kanske inte i morgon. Men nån gång.

11

En gång sten får aldrig vingar.

Slagen till slant blir aldrig riksdaler.

Fast såna stäv ska en ju inte fästa sig vid, säger Oscar Hesekiel. Sammanhållning, solidaritet och gemensam kamp för att störta det bestående samhället. Och det kan väl ligga mycket i det. Om det bara inte var för det, att jag har så svårt att lita på den karln. Han är rädd för att ta en i hand. Han har så vita, fina händer, han måtte tvätta sig och peta naglarna ett par tre gånger om dan, minst. Och så blir han ivrig och tar käften full av utrikiska ord, som inte fan själv kan förstå.

Elon sitter nersjunken i den obäddade sängens lumpor och fäller ut och fäller ihop en tumstock från snickarboden. I kväll hade han tänkt sig att det skulle bli av, det är fanimej på tiden, det är inte en dag för tidigt. Efter kvällsmjölkningen gick han i snickarboden och fick fatt på tumstock och timmermanspenna, nu ska han riva ut säckvävstrasan och klara ut måtten mellan spröjsarna, så han vet hur mycket fönsterglas han ska skära till... Men knappt kom han innanför dörrn, så sjönk han ner i sängen i sin vanliga stentunga vanmakt: det tjänar ändå inget till, det är inte min egendom, förresten, och vad ligger det för framtid i att måna om Lille-Lars inredning, vad finns det för framtid, vad finns det för hopp... Ute i lagårn har han avtalet och arbetsplikten över sig, men inkommen i drängkammarn sjunker han ner i sin vanliga, hopplösa slöhet. Det tjänar ändå ingenting till. En rår sig inte själv.

På Eriks nattygsbord hade han fått fatt i ett litet vitt häfte, utgivet på Arbetarkulturs förlag, han hade väl tänkt sig att anteckna glasrutans mått på den blanka baksidan. Så började tankarna kretsa kring Oscar Hesekiel och hans politiska förkunnelse. Ja, det är nåt konstigt med den karln. Kanske att han menar väl, men jag kan på nåt vis inte lita på han... När Erik tar tag i det politiska och står i och predikar, då är det ju en helt annan sak, på sätt och vis... Ja, om såna som han och jag höll ihop, då kunde det kanske bli nåt av, nån gång... Men så länge han springer efter Märta lär det väl inte bli mycket politik av? Ja, det är besynnerligt vad fruntimmer kan ställa till med. Som nu det här med Pärsy. Slå sönder och svina ner i Handlarns butik, ja, det skulle ju kännas ganska skönt på sätt och vis. Och sno med sig pengar och brännvin. Roligt så länge det varar. Fast inte lär det nytta mycket till? Nej, sånt lär en inte vara hjälpt med, inte på sikt,, i vicket fall...

Rådlös vänder Elon det lilla vita häftet mellan händerna. Så skriver han ett frågetecken på baksidan med timmermanspennans grova udd. Annorlunda måste det bli nån gång – men när? Och hur?

Slagen till slant blir aldrig riksdaler.

En gång sten får aldrig vingar.

Lagårdslukten biter sig fast och lär aldrig kunna vädras ut. Det är ett så oöverkomligt företag detta, att tvätta och raka sig och byta kläder och cykla ner till samhället och träffa kamrater eller till dansbanan och fjädra sig för nån flicka. Det vill sig inte för Elon. Det blir ingenting av. Det blir ingenting gjort.

Och vad skulle han kunna bjuda en flicka på? Om man skulle ta stat? Det finns knappt kvar några statare längre. Dom gör inte med så mycket folk på godsen nu, när det kommer nya maskiner stupiett. Och snart är det nästan så en behöver skolor för att klara av alla maskiner. Man får va glad så länge dom behöver en lagårdskarl. En kogubbe. En Dyng-Elon.

Men vad är det? Det låter som om Lady Cecil spritter till och slår i sin spilta, det måtte va nån som kommer genom stallet ... Ja, det är bond själv, det hörs på stegen, fast han går ovanligt tungt i kväll ... Och blir stående tyst där utanför dörrn – vad väntar han på?

Så kommer äntligen knackningen, och han stiger in utan att vänta på svar. Elon gömmer den lilla broschyren bland sängkläderna.

– Kväll. Och du sitter ensam som vanligt?

Utan att vänta på svar stegar Lille-Lars fram till fönstret och känner efter med stövelklacken om golvtiljorna tagit röta. Som siste bonde i Hedeby bär han läderstövlar, inte dessa pipinetta ryttarstövlar som Lönbom på Lida ibland kan stoltsera med, utan gammaldags grova bondestövlar med klackjärn och mässingsstift i sulan.

Han slår med handen på ett papperspaket i kavajens ytterficka och ser omkring sig i drängkammarn med rödsprängda ögon. Elon väntar sig förebråelser för det trasiga fönstret och annat förfall, men i dag tycks bond ha annat i tankarna.

– Och Gustafsson är ute och ränner som vanligt, säger

Lille-Lars och skrattar ett besynnerligt skratt i falsetten, som med ens slår back och säger kluck i strupen. Han gnider sig i ögonen med kavajärmen, harklar och hummar och slår sig ner i Eriks säng, så det knakar i sängbotten. Och nu känner Elon på den starka mättade andedräkten, att Lille-Lars har druckit sprit. Bond har tagit sig en dragnagel i kväll. Vad är det nu för underligt med det, kan du fråga, har inte Lille-Lars god råd att ta sig både en och två och tre? Jovars, men Lille-Lars är ju en måttlig man, som sällan brukar starkt till vardags, allra minst sen förra året, då Olga gick med i Filadelfia, och det ena med det andra ... Och inte verkar han upplivad av drycken, det kan en inte säga, och Elon har gunås sett fulla husbönder förut och är van att bedöma ...

– Jag hade bara tänkt komma inom och bju på en jävel, säger bond med sin hesa röst, harklar sig och fortsätter: Om du nu har nåt och dricka ur?

– Det tackar en ju inte nej till, säger Elon i sin djupa förvåning och sticker fram med gräddmåttet av bleck, som han har stående på nattygsbordet. Lille-Lars får fram sitt paket och skalar av papperet, ett gammalt nummer av Evangelii Härold, som avslöjar en halvliter tvåstjärnig. Lille-Lars fyllde decilitermåttet, saluterade med buteljen och satte den sedan till munnen. Harklade, ruskade på huvudet och fick fram nickelklockan ur västen. Såg på urtavlan med röda ögon.

– Det är ingen kraft i spriten, nuförtiden. Det är väl monopolet som spär ut lanken, för att Kronan ska göra sig reveny?

– Det är inte så gott och veta, det, anmärkte Elon

ödmjukt. Det är inte så ofta en får smaka på, när en inte har motbok.

– Nej, du köper väl hos Handlarn, fast han lär väl ha slut på lagret nu, sen Pärsy var där och röjde, pojkfan ...

Lille-Lars pendlade med klockan från pekfingret och såg sig om i kammarn med trista, rödsprängda ögon.

– Och Pärsy är väl inte den enda, fortsatte han med sin hesa röst. Dom ger sig bort från jorden och ska prompt till stan och lära sig oarter och fanstyg. Det duger inte med att gå vid jorden längre, dom är rädda och skita ner sig och få dynga under naglarna. Men sno i väg till Stockholm och svina ner sig med syffe och drypan, det ser dom inget fel på ... Sno värvning och ge sig till knekt, som det inte fanns nog av offserare och knektar ändå? Vad en nu ska ha för glädje av dom? Men folk som håller sig till jorden är det ont om ...

– Pärsy hade väl inte så mycket annat och ta sig till, dristade Elon sig fram med en invändning. Det gick ju inte så bra när han var ute och tjänade, han hade just ingen hand med djur ...

– Nej, han hade inte det, pojkfan, och vad tror du det beror på? Lille-Lars höll fram sin skinkstora knytnäve under Elons näsa. Vet du vad det beror på? Dom kan inte längre tåla sig, dom jävla pojkslynglarna, för dom vänjer sig vid bilar och lättviktare och motorcyklar ... Ja, fan, och kör som dårar på vägarna och kör ihjäl både sig själv och andra ...

Lille-Lars skrattade åter sitt gälla skratt och strök sig över ögonen med kavajärmen. Elon rodnade och såg ner i golvet. Jaså, var det där skon klämde, ja, det kunde en ha förstått . . . Lille-Lars harklade sig och fyllde på bleckmåttet för sin dräng. Åter såg han på sin klocka, med ett förstenat uttryck av grämelse: tid, du obönhörliga tid, som bara vill gå framåt och framåt och framåt . . .

De två männen drack en stund under tystnad, var och en fången i sin egen ensamhet. Men Lille-Lars ruskade på sig och drog efter andan för ett nytt försök.

– Jo, ser du, pojk, det är nog felet det . . . Det ska gå så satans fort allting, nuförtin, dom har inget tålamod med djuren . . . Som en skulle kunna få en kviga och sprätta sta som en motorcykel? Märren säger jag ingenting om, även om hon kostar pengar, fast det kunde ju ingen människa veta då, att det skulle bli bortkastat . . . Hä! Först tänkte jag låta henne gå till slakt, eller åtminstone sätta henne i arbete, fast det duger hon väl inte till, och inte kan jag få mig till och sälja henne heller, fast hon drar finare foder än du . . . Det är nästan som med Olga, hon har rummet stående efter Johan, inte en pinal har hon ändrat på . . . Och nog är det konstigt att tänka sig, att det ska sitta oskylda vid gården . . . Vad jag skulle säga . . . Du har aldrig tänkt på att skaffa dig motorcykel?

– Jag funderade väl på en lättviktare för ett år sen . . .

– Ge fan i dom! Vad du gör! En kommer tids nog i graven. Håll dig till jorden du, det är det bästa du kan göra . . .

– Det är väl inte så mycket en har och hålla sig till, sa Elon, dristig av spriten.

– Asch, är en bara arbetsvillig, och du är ju lagd åt jorden och har hand med kor . . . Och det vet du väl hur det var med mig, jag gifte mig till gården, som det hette på den tiden ...

– Det finns ju inte så många och gifta sig med nufortin?

– Nej, dom ska prompt in till stan, slynorna, sa Lille-Lars och blängde förebrående på Deanna Durbin. Och så får dom knog hos såna som Brunzén ...

– Det finns väl dom som klarar sig bra, också?

– Bra och bra ... Att inte fruntimmer ska ha vett och stanna hemma, fast en kan hålla dom med både slask och vatten och elektriskt lyse ... Men det duger inte, fint ska det va ... Fru kaptenskan Kristina Eberman vill hon ha skrivet på kuvären, det går inte av för mindre. Fru kaptenskan, ja, men hade det inte varit för mina pengar så ... Och pojken ska ligga och bada i Båstad, fint ska det va, och inte passar det sig och komma hit, inte ... Om hon nu skäms för och visa opp mig för pojken, men pengarna var det inget fel på, nej, pengar, dom luktar inte dynga, dom ...

Och Lille-Lars skrattar sitt gälla, ovana skratt och ser med röda rinnande ögon på prinsessan Eugénies berömda skulpturgrupp ”Kan du inte tala?” Nickelklockan pendlar och pendlar från hans pekfinger.

– Nej, vi tar väl sista skvätten, så vi får slut på eländet ...

Och Lille-Lars serverade sin dräng och tömde därpå buteljen i ett drag. Hans grova drag har mosats röda av spriten och han är lite vag på blicken, som sökande glider över rummet för att stanna vid säckvävstrasan i fönstret.

– Ni borde väl se till och få rutan insatt, fast skit var det värt, det tjänar ju inte mycket till att en rustar opp, nu när inte pojken kommer hit. Fru kaptenskan, ja, det låter nåt det ... Jag hade väl inte sagt nåt om det hade varit Erik, eller du Elon, men ni hade ju inte åldern inne. Och pojken ska läsa till offser som far sin, som om vi inte hade knektar nog ... Och Olga, hon hålls med det relischösa, hon har det ju lätt på det viset, men sånt har ju aldrig legat för mig ... Och ingen vill hålla sig till jorden, jag vet inte vad det kommer sig av ...

Nej, det är inte lätt att förklara, och Elon har väl just inget att komma med och bjuda på. Ett och annat har han väl förstått, och ibland har medlidandet rist till i hans bröst, men han vet inte vad han ska hitta på och säga till hjälp och tröst. Hur det nu är, så är dom ju tjänare och husbonde, mellan dem reser sig en mur, som levande röster inte kan genomtränga. Elon hade väl gärna yttrat ett vänligt ord eller två, men det vill sig bara inte för honom, det blir ingenting av ...

– Nej, fan, säger Lille Lars i plötslig retlighet och ser på sin klocka, här sitter jag och pratar skit, som det inte fanns viktigare och göra, ja ... Nu får du va så full i fan och se till och få fönstret lagat, så där kan det väl för helvete inte få se ut?

Och han reser sig mödosamt och stegar ut med tunga kliv och stänger dörren med en smäll efter sig. Elon hör avlägset Lady Cecil spritta och slå i sin spilta. Bond har väl sökt sig in till märren, för och stå och kela med henne en stund, det kommer för honom att han ska göra så där ibland ...

Ja, visst måste allt bli annorlunda ... Men när? Och hur?

Elon vek ut och fällde ihop den gulfernissade tumstocken. Han kände ruset stiga i sin kropp med mild, barmhärtig glömska. Ibland kan själva kroppen känna sorg och leda, och då gör det gott med en sup. Fast, det är ju klart... Nog kunde en ha kostat på sig ett hyggligt ord eller två, men hur det blir, så blir det inte av. Erik går det och prata med, fast han kan vara vrång ibland. Men vad ska en säga till bond? Ja, visst är det väl synd om han, på sätt och vis... Men det går ju inte bara och med ens sätta sig och va kontant med bond, nej, det blir ingenting av, det blir ingenting gjort...

Med rusiga ögon ser han sig om i drängkammarn, obarmhärtigt belyst av en naken glödlampa i taket. Och radion som är trasig... Undras vad den annars kunde ha och berätta?

Mellan spröjsarna i fönstrets undersida sitter en hopvecklad, halvrutten säckvävstrasa.

*

Märta vindade upp moraklockan, ty loden hade nästan gått i botten, och sen fick hon för sig att tända en brasa i spisen. Hon satt en stund i kökssoffan och såg eldreflexerna dansa på golvet, hörde knastrandet i den brinnande veden och klockans tankfulla tickande genom tystnaden. En så välsignad tystnad. Och så välsignat skönt att vara av med stojet på konditorit och med pojkvalparnas fräcka röster. Augustimånen lyser in och avtecknar köksfönstret som gula kvadrater på skurgolvets tiljor. Och moraklockan tickar vänligt och vill henne bara väl.

Även de döda tingen livas och förädlas av att vara i lag med goda, kärleksfulla människor. Så är det här i mormors kök. Karolina ligger på sjukstugan, men ännu kan väggarna, möblerna, de döda tingen stråla ut den gamla kvinnans omtanke och kärlek, och stilla betrakta Märta med mormors genomträngande blick. Här är jag hemma, ja, här är själva tomheten livad av ömhet och osynlig närvaro, som om morfar ännu hade varit i livet och setat bredvid mig i soffan, även i sin tystnad ett stöd och en källa till trygghet.

Ja, den stora gåvan hade morfar att ge mig: en bild av vad mannen kan vara av trygghet och kraft. Så gav han mig den goda förvissningen, att det kunde vara riktigt och meningsfullt att leva sitt långa jordeliv i lag med en man. Utan åthävor och ord kunde morfar och mormor vända mina blickar från eländet där hemma och ge mig insikten, att det är gott att leva som kvinna och man, tätt slutna till varandra, mättade av samma föda, läskade ur samma brunn.

Men nu är morfar död. Och ingenstans ser jag en man, som jag kan överlämna mig till i förtroende och trygghet. Omsvärmad som ingen där nere på konditorit och ändå ensammare än någon.

Hon reser sig och börjar söka i köksskåpen och ser med girig nyfikenhet på de enkla husgeråden, en trävisp, en gaffel med sprucket benskaft, en karott, som väcker det avlägsna minnet av rabarberkräm. Dessa är ting som morfar och mormor har värmt med sina händer. Ur dessa fat har mormor bjudit morfar mat. Ja, även detta kan vara en god sak: att mätta dem man håller av och har nära. Att mätta en man. Att mätta ett barn vid sina bröst.

Hon rör vid sina bröst och känner deras unga, oförbrukade tyngd med en oklar känsla av olust. En kunde lika gärna vara gammal och ful. När det ändå inte finns nån karl som en kan överlämna sig till i trygghet och glädje.

En enda har rört mig, en enda har varit mig nära. Han var så rik och mäktig och förnäm, att jag bara inte kunde säga nej. Jag visste ju att det var meningslöst och fel och kunde ändå inte värja mig. En rår sig inte själv.

Men det kan Hedeby inte förlåta mig. Sonja kan dom möjligen förlåta, men inte mig. Sonja går omkull med varenda karl som begär: det är som om hon föraktade sin egen kvinnokropp och ville förbruka den fortast möjligt. Men det är ju vanliga bondpojkar och drängar hon ligger med, och sånt kan möjligen glömmas och förlåtas om hon folkar till sig en dag. Men mej kan dom aldrig förlåta, att jag överträdde mina villkor och gav mig i lag med en fin och förnäm herre.

Och Pärsy, den fjollige glopen, han hade då ingen trygghet att ge. Och nu skyller dom mig för att han ställt sig i olycka: skvallret väser, och onda blickar biter mig med giftiga gaddar . . .

Ett minne kommer för henne: på stigen hem till Fridebo fann hon en gång en död svala, en vit och blåsvart fågel, som bara såg ut att vila en stund från sin höga, fria flykt. Men när hon kom närmare såg hon att den var död, urholkad och genomborrad av myllrande insekter och vita larver. Hon hade redan böjt sig ner för att lyfta den hjälplösa fågeln, när hon med ens fick rygga tillbaka av vedervilja, ömkan och skräck.

Och Märta tänker med plötslig olust på sin mor. Om Signe bara hade förstånd att låta bli det här med politiken. Horor och fyllhundar och bolsjeviker, det är allt som kommer från Fridebo där bort på malmen. Sånt får en dagligen höra och värre till. Ett bättre samhälle för kvinnor, jo, kyss mig ... Det lär en få vänta på. Undras om hon inte är med barn, för resten ...

Märtas tankar snuddar vid detta vidriga och förbjudna, detta med föräldrarnas kroppsliga förening, så otäckt och nästan mot naturen, att vara gammal som mamma och ändå inte kunna hålla på sig ... Jo, det är också ett sätt att kämpa för ett bättre samhälle.

Ett bättre samhälle för kvinnor, kyss mig. Hur ska det samhälle se ut, där karlar inte vill trampa ner en flicka i skiten. Och såna som morfar tycks vara ett utdött släkte. För mig finns det bara en möjlighet: att fly från Hedeby och flytta till Stockholm och bli rikt gift. Rikt gift och kanske rikt skild, pengar tycks ju vara det enda det kommer an på. När en väl har fått en klick på sig.

Men Brunzéns flickor, dom går klädda som grevinnor, dom.

Elden sprakar i spisen. Moraklockan tickar.

Tyngd av sitt svårmod öppnar hon köksfönstret för att få lite luft. Tusen syrsor spelar förtvivlat för att säga, att snart är sommarn slut, slut, slut. Fullmånen lyser starkt, och vägen ner mot bron är vit som mjöl. Genom sensommarens starka, mältade dofter av mognad förnims ett drag av vattenkylig svalka från ån.

Men herregud, det är ju nån som står där bredvid vägen, ett månbelyst ansikte skiner fram ... Våldtäktsskräcken rister henne, och hon famlar efter haspen för att dra igen fönstret, och nu rör han på sig, nu kommer han närmare ...

Men det är ju bara Erik ... Det är Erik Gustafsson,

den tyste och trogne, undras om han inte har följt mig ända hit, det skulle just vara likt honom. Våldtäktsmannen befinns vara den beskedligaste pojkvalpen i hela Hedeby, och Märtas oro löser sig i ett skratt.

– Är det du? Som är ute och går?

– Jag var hemma ett tag... Och så såg jag att det lyste här nere. Undra bara vem det kunde vara, nu när Karolina är på sjukstugan... Han stiger fram i ljuset från köksfönstret, stel och generad, och månljuset gör honom ännu blekare än han är.

– Du kan väl kliva på ett tag, mens du ändå är här?

Han bugar av pur förlägenhet när han stiger in genom dörren, kramar kepsen i sina darrande händer och rör sig stelt och onaturligt av spänning. Ja, herregud, visst är det mig han är ute efter, han har ju finkostymen på sig som han brukar, den urvuxna, blanknötta, blå kamgarnskostymen. En sån stolle! Nej, inte är han en karl, som en kan överlämna sig till i förtroende och trygghet, en pojkvasker är han, ett hjälplöst barn... Märta ser på sin beundrare och sticker så näsan i handen för att dölja ett leende, det är väl lättnaden som kommer över henne och känslan av överlägsenhet och makt. Och med ens är hon inte längre en rädd och misstänksam flicka, hon är vuxen och stark, och Eriks tåliga, undergivna trohet fyller henne med ömhet...

– Du får väl sitta ner, åtminstone?

Han sätter sig i kökssoffan och lägger sin knutna hand på bordets vaxduk. Det väcker ett minne hos henne: just så där brukade morfar sitta, när han hade ont...

Och syrsorna spelar.

– Jag borde väl ha nåt och bjuda på, säger hon och

skrattar till i en plötslig känsla av befrielse och glädje. Minns du när vi var små och lekte familj?

– Jo...

Han sitter med handen knuten framför sig, för att inte visa hur han darrar. Hårvirveln spretar upp på hans bakhuvud, de blonda ögonhåren klipper nervöst, han ser ju för ynklig ut, pojkstackarn... Och hon påminner honom om, hur de lekte familj som barn, hur hon nyttjade de bruna, torkade fröna av ängssyra och skräppa som kaffe, och hur hon serverade honom mat i en tegelskärva...

– Ja, säger han i sin bleka förvirring, och så lekte vi att jag kom hem och var full...

Månljuset strålar in, augustinattens starka dofter av mogenhet och fullbordan överflödar i det lilla rummet. Erik komma hem och slåss och vara full, tänker hon, det skulle då minst av allt vara likt honom, men det var väl så jag tänkte mig mannen, då... Upptagen av sin berättelse om barndomens lekar har hon ställt en tom karott framför honom på bordet, så här var det, minns du inte, så här var det när vi lekte, men han ser på henne med febrigt oroliga ögon, och hans huvud rister av spänning: skojar hon med mig, driver hon gäck med min unga, såriga stolthet... Men Märta är redan hjälplöst besegrad av ömhet, det är ömheten som får hennes lemmar att röra sig, hennes läppar att tala, och hon rör sig i ömhetens värld, viljelös som i en dröm...

– Men så växte vi opp och blev stora till slut, viskar hon med denna nasala röst, som får Erik att skaka av frossa, och nu är vi tillsammans och vi har ätit och det är redan kväller, och nu släcker jag lyset, och så sitter vi en stund i soffan och håller skymning...

Och de sitter tillsammans i soffan, och han håller om henne så varsamt han kan och vågar inte tro att det är sant, att han äntligen har henne nära, och hon vet inte själv vad hon gör, ty ömheten har kuvat hennes klara förstånd och försiktiga beräkning, och hela hennes varelse är visshet, långt bortom frågor och tvekan...

Och syrsorna spelar och spelar.

Men nu är det ju så illa ställt, att hon har fått en mer än lovligt trög och enfaldig make, som måste få allting noga förklarat för sig: att det är sent, att de måste till sängs efter en lång arbetsdag, att det är lika så gott han håller sina läppar och händer i styr tills de kommit omkull tillsammans i sin goda, äktenskapliga förening, om han nu bara vill hjälpa henne bädda upp i kökssoffan, välsignade karl...

I dragkistan i kammaren finner hon mormors bästa lakan, hårdmanglade och med god lukt av kamfer, men bara det bästa är gott nog, när en ställer sängen i ordning åt en älskad make, låt vara att han är en smula senfärdig och trög till förståndet. Och nu får han se till och komma i säng, och sen får han vara beskedlig och vänta på henne, mens hon rustar sig lite på kammaren...

Han skakar av frossa där han ligger mellan de svala, kamferdoftande lakanen. Det är inte sant, tänker han. Jag drömmer.

Märta står vid dragkistan och ser på mormors blommiga särk av flanell, en ärbar hustrus sedesamma nattdräkt. Men augustinatten smeker hennes nakna hud med sin varma andedräkt och övertygar henne om, att även en anständig hustru någon enstaka gång kan tillåta sig en smula otukt i lag med en älskad make. Augustinattens ömhet gör henne skamlös och djärv, den får hennes nakna kropp att rista av snyftningar, i ett övermått av glädje, och hon vandrar ut i köket, naken i det starka månljuset, och Erik reser sig på armbågen och ser henne komma. Det kan inte vara sant, tänker han. Jag drömmer.

– Tocka på dig så jag får plats, säger hon övermodigt, skamlös och djärv av sin vilda ömhet. Märkvärdig karl och bre ut sig ... Tocka på dig, säger jag ...

Nej, du drömmer inte, Erik, det är sant, hon är dig nära nu, hon öppnar sig för dig och ser upp på dig med ögon som lyser: skulle inte hon ha rätt att känna en hustrus glädje åt en älskad makes starka lust?

Ja, Erik, det är sant, jag är dig nära nu, du drömmer inte mera ...

Och sedan sover han i hennes famn och hon håller om hans huvud och känner glädje åt denna hårda tyngd över brösten. Hon är blank om kinderna av gråt, men det är inte sorg som får henne att gråta, det är ömhetens rikedom som flödar över ... O, du oresonliga, vettlösa ömhet, som för mig till en glädje långt bortom frågor och tvekan och ånger, i natt vill jag överlåta mig helt åt dig och vila så lugn och trygg i min kropp, som en fågel vilar i sitt rede ...

12

Augustinattens vita fullmåne vandrar över Hedeby, kastar sitt overkligt klara ljus över sovande skogar och dungar, över det mogna höstvetets silverlysande kvadrater, över Sillerån som har stelnat som en glänsande metallsmälta i sitt lopp. Det är den mognadens och fullkomningens sensommartid i Sörmland, som är så överdådigt rik, att den nästan inger ängslan och för människor känns tung att bära.

Erik sover i sin älskades famn, och han drömmer att han flyger gemensamt med Märta, tyngdlös och fri högt över Hedeby, men i en hastig vändning hugger han sin klo i hennes bröst, och hennes hjärta öppnar sig och blöder mjölk, som läskar honom och fyller hans mun med sin milda värme... Han vaknar till av hennes halvkvävda jämmerrop: han har i sömnen kommit åt hennes bröst med sin knutna hand och gjort henne illa... Och detta inger honom en förtvivlans ömhet, och han försöker sona sin ovarsamhet med smekningar av sina hårda händer, och hon svarar på hans vädjan med viskande läppar och sin öppna, outhärdligt mjuka famn, och ömhetens källor öppnas och överflödar på nytt i den sällhet som är människan förunnad och försonar henne med livet och döden. I människovärlden där utanför är Märta en fördömd och förkastad ung kvinna, och nu har hon oförlåtligt syndat på nåden, men allt hon känner när Erik kommer in till henne och fyller hennes liv med sin starka lust är en glädje långt bortom synd och fördömelse, och i denna gamla människoboning känner hon trygg gemenskap med släktets oändliga kedja, och augustinattens varma dofter tränger in genom fönstret och är henne till hjälp och stöd.

Augustinatt, och månen vandrar över Hedeby.

Augustinatt, och människors drömmar stiger som dimman stiger ur markerna, stiger utan mål och syfte, för att i gryningen skingras och förflyktas utan spår.

Vad drömmer alla dessa människor i Hedeby i denna milda augustinatt då månen vandrar?

I gröna sängkammaren på Tullgarns slott sover Hans Majestät och drömmer sig vara en envålds och allom bjudande konung: Wi, Gustaf, med Guds nåde, Sveriges, Norges, Götes och Wendes Konung, storfurste till Finland, hertig uti Estland, Lifland, Karelen, Bremen, Verden, Stettin, Pommern, Cassuben och Wenden, furste till Rügen, herre över Ingermanland och Wismar . . . Dyster ruvar denne stormäktige, allernådigste furste och herre på sin envåldsmakt, och kring silvertronens fötter rullar skarprättade bolsjevikers huvudskallar som yra krocketklot.

På Gieddeholm drömmer greve Tre Rosor, att han slår arvskattens digra sedelbuntar i ansiktet på landsfiskalen och sedan låter domestikerna kasta den satans plebejen nedför slottets ekande marmortrappor.

Men för friherrinnan Urse på Valla finns inte längre någon skillnad på dröm och vaka: dag som natt umgås hon med sina ofödda barn, skuggor som i hennes sjuka sinne blivit mera verkliga än några levande barn här i Hedeby. Räddad från verkligheten dväljs hon i den dödens förstuga, där drömmar bor. Men hennes make, Carl Gustaf Urse, har sedan länge sjunkit och försvunnit ur nattens och dagens drömmar.

Patronessan Lönbom drömmer, att hon har lyckats köpa upp all mat i världen, och utanför Lidas grindar står den svältande mänskligheten och sorlar förbittrat: det är så hon i drömmen omvandlar sin makes fridfulla snarkningar i det goda samvetets drömlösa sömn.

Och Sill-Selim Zetterlind drömmer, att Hans Majestät Konungen har behagat utträda ur sitt änkestånd för att ta Nora till hustru, och i gengäld smyckar han sin svärfar med en gyllene ordenskedja, och bevingade serafer griper med mjuka händer böcklingrökarens knubbiga kropp och lyfter honom under domkyrkoklockors jubel allt högre mot ärones himmel. Så drömmer även hans kärleksfulla hustru, fattas bara annat ...

Men vad drömmer Nora om?

På varsamma fötter tassar berättaren in i Noras jungfrubur med dess spetsgardiner och vita möblemang och glödritade suvenirer och reproduktioner av Carl Larsson, men han finner i Noras säng bara en uppbäddad bulvan, som möjligen kan lura ett sömnigt föräldraöga, men ingalunda en allvetande berättare. Var finns då Nora Zetterlind och vad drömmer hon i denna varma augustinatt med vandrande måne?

Ack, Nora behöver inga drömmar mer, ty hon befinner sig i detta nu på en torftig vindskammare över stallet vid Hunga, där hon vilar i Stora Smålands kraftiga famn och njuter den ljuvaste älskog. Skratta inte, gunstbenägne läsare, jag ber dig bevekande, ty även Noras och Stora Smålands kärlek är vördnadsvärd, vad sen samhället må hitta på för att förstöra, begabba och svina ner i efterhand. Stora Småland är helt omtumlad och förvandlad av Noras självförstörande hängivenhet, som får honom att vämjas vid männens samvaro i Avskummets krets, unken som avslagen pilsner. Nora har bara alltför länge fått tvivla på sin kvinnlighet och sin makt att behaga, men nu har Stora Småland med all kraft bevisat, att hon är en åtråvärd kvinna, och Nora ömsom skrattar och gråter av glädje, ty nog har hon anat många sömnlösa nätter, att mannen och hans famntag vore ljuva, men att det skulle vara så här...

– Du borde nog tänka på att skaffa dig arbete, Gusten, säger Nora i ett förnumstigt försök att spela omtänksam kvinna, och allt är inte bara lust och lek här i världen, och man får ju tänka lite på framtiden och vad som enligt naturens ordning kan hända...

– Vill du jag ska börja jobba, säger Stora Småland klentroget.

– För min skull, Gusten!

– Som du vill då, Nora, svarar Stora Småland undergivet, ty hur skulle en dödlig man kunna motsäga en gudinna? Och Nora skrattar av lycka och kastar sig över honom med sina hundra kilo kvinnofägring, och Stora Småland skulle inte vilja undvara så mycket som ett hekto, trots att det knakar i revbenen, och han trycker henne med kraftiga ramar mot sitt ludna bröst, och i kyssar och smekningar smälter alla förståndiga framtidsplaner bort. Och jag ber dig läsare, ber dig bevekande, att betrakta dessa älskande med samma milda leende som augustimånen däruppe i björken: tids nog kommer samhället dragande med sina efterräkningar av hån och förkastelse . . .

Nej, Nora Zetterlind behöver inga drömmar mer . . .

Men Handlarns sträva snarkningar vittnar om ondsinta drömmar, och han drömmer mycket riktigt att han är en finansfurste, en ny Ivar Kreuger, dystert ruvande i ett penningpalats av granit vid Kungsträdgården, och i palatsets källare försmäktar Pärsy och andra förhatliga hedebybor på vatten och bröd.

Och kyrkoherde Ahlenius är i drömmen Svea Rikes ärkebiskop, som orerar med malmklingande stämma för en fulltalig församling i Uppsala domkyrka.

I drömmen hyllar Sovjetunionens kommunistpartis allunionistiska kongress med stormande jubel sin mäktige partisekreterare Oscar Hesekiel Ahlenius, även kallad Mänsklighetens Sol.

Lille-Lars i Näsby ser i drömmen den blodstänkta asfalten, den demolerade motorcykelns spinnande hjul, den onaturligt förvridna kroppen, och han vaknar med ett ryck och ser bredvid sig i månljuset hustruns öppna, lysande ögon. Olga har inte ens fått sova. Olga är gammal nu och föder inga söner mer.

Rävfarmarn drömmer att han flår Handlarn och säljer hans skinn till patronessan Lönbom på Lida. Den rika kvinnan ler nådigt och betalar med en burk Påsk-Ansjovis.

Karolina ligger vaken på sjukstugan, tänker på sin dotter Signe, grubblar över utvägar, hjälpmedel, pengar, om man bara kunde skaffa pengar . . .

Men Signe har i drömmen återvänt till sin ungdom, då

Abraham och Karolina ännu satt vid gården, då många möjligheter ännu stod öppna. Hon går genom skogen en daggig sommarmorgon på väg till ungdomens gökotta, hon är ung och glad och bekymmerslös. Men plötsligt irrar hon vilse från stigen, och med ens har hon gått ner sig i ett träsk, och hon sjunker och sjunker i den kalla ävjan, och ingen hör henne ropa, ingen vill komma henne till hjälp ...

Och alla småpojkar i Hedeby har samlats i en gemensam dröm: i skogen går Pärsy som en grönklädd Robin Hood med långbåge över axeln, och han har plundrat de vuxnas överlastade fora, och nu utskiftar han bytet mellan sina muntra kamrater, Torsten, Gert Svensson, Sven i Skåång, Axel Weber och Tore i Skällsta, muntra, fågelfria kamrater i frihetens gränslösa skog ...

Men Pärsy själv ligger försjunken i den dödligt berusades drömlösa sömn. Han sover under en gran, svept i ett hästtäcke han har fått av Ville Vingåker. Hans uniformsfickor är knöliga av silver och sedelbuntar. Bredvid honom i mossan ligger en tömd brännvinsflaska.

Och månen vandrar.

Augustinatten går och månen vandrar över Fagerhult, där Urgubben redan har vaknat på sin vindslya. En dröm har väckt honom och lever fortfarande kvar i hans minne med så starka och levande bilder, att han omöjligen kan somna om.

Minnet av Ida har kommit tillbaka till Aron Pettersson från en ort mer än sextio år bort i tiden, ett minne som för länge sedan borde vara undertryckt, utplånat, borta ...

Urgubben har föga mer än ledsyn kvar, men ändå ser

han med så smärtsam klarhet bilden av Ida, med de febriga lysande ögonen under pannluggen, det höga, fågelmjuka bröstet i spetsblusen, de tobaksfläckade, smala händerna.

Ida? Och henne har jag väl inte tänkt på sen den dag jag minns... Nog är det konstigt?

Han reser sig med knakande leder, oändligt mödosamt, fläker undan lapptäcket och hasar i kalsonger och undertröja över golvet för att få lyset tänt, så han kan se klart nog för att reda sig vid kommoden. Han kavar ner kalsongerna, famlar och trevar och får äntligen fram nattkärlet för att vänta ut blåsans befrielse med den åldrige mannens undergivna tålamod. Han vänder huvudet och lyss ut åt skogen. För ett ögonblick har han tyckt sig höra härfågelns skällande läte.

De nerhasade kalsongerna uppvisar den åldrade mannens skankor, skrangliga och magra, ett ludet skinnhölje kring skelettet, och de en gång så kraftspända klinkorna liknar mest en hårig skinnpåse. Den kutiga ryggradens kotor avtecknar sig som runda knaggar under flanellskjortan. Han har åldrats, Urgubben, om ytterligare åldrande i hans fall överhuvud är möjligt.

Kanske åldras vi på allvar, när medmänniskor inte längre bemöter oss med värme eller åtminstone avoghet och förtrytelse. Gång på gång har Aron Pettersson setat i lag med Karolina Styf på kyrkogårdens Änkesäte och försökt reta upp henne till vrede med sin råa livsvilja, men allt han har mött är ett milt och fördragsamt motstånd. Gång på gång har han sökt fånga in Pärsy för att göra honom till son och kumpan, men Pärsy har bara avvisat hans faderskärlek och fumliga kamratskap. Ja, Pärsy var för stursk och stark i sin överdådiga ungdom för att behöva gamlingens kärlek. Men han var inte för stursk för att fjollas bort av hon hyndan där nere på konditorit, vad hon nu heter, och han var inte stark nog att stå frestelsen emot att bryta sig in i Handlarns butik för att stjäla och svina ner och vanhedra Kronans uniform . . .

Äntligen har gamlingens trötta kropp klarat av sin enkla förrättning, och han återvänder på darrande ben till sin säng och sveper om sig lapptäcket: åldern kyler hans knotor trots augustinattens vänliga värme. Hans skumma ögon flackar över rummet för att finna ut om allt är orört och på sin plats: kakelugnen med gula mässingsluckor, kommoden, gungstolen vid fönstret, nattygsbordet med lösgommen i en vattenfylld syltburk av glas. Och viktigast av allt: de två tavlorna på väggen, färgtrycket av kronprinsessan Viktoria utklädd till husar och kronprins Gustaf i Gardets blå uniform, samt litografin över Skyddsängeln, ledande ett gullhårigt barn på spång över ett bråddjup. Ja, tavlorna är på plats och ingenting är rört, ingen har varit inom i natt . . .

Oemotståndligt kommer bilden av Ida tillbaka, åter ser han för sig dessa hektiskt lysande ögon under den svarta pannluggen, om det nu var för det att hon fick sova så lite, eller om hon hade soten . . .

Ida stog i cigarrbod på Västerlånggatan, och det visste en ju, vad cigarrbodsflickor hade för rykte om sig . . . Hon var en dam av ädel vandel, som stog i tobakshandel, hä . . . Och Aron hade gått inom för och köpa en strut snus under ett fripass i högvakten, men åtrade sig när han fick se skocken av ungherrar i redingot och med cylinderhattar på näsan, som stog och flinade och kläckte vitsar och tände cigarrer, medan Ida stog tyst bak disken, osäkert leende, och såg omkring sig i hopen med febriga, mörka ögon, som hastigt snuddade vid den storvuxne gardisten och vändes mot skyltfönstret för att blicka ut och bort ... Aron tvekade en stund, men för fan, det här var ju inget ställe för en vanlig knekt, och därmed backade han ut under ungherrarnas flin och skrän och sökte sig till ett enklare ställe för och köpa snus ... Och sen hade det väl aldrig vurti nåt mera ...

Om hon kanske är i livet? Nej, det är inte möjligt, inte som hon for fram med sig, och sjuk var hon väl också, och när jag tänker efter så var hon väl ett par år äldre än mig, och jag har ju överlevat alla, jag är ensammen kvar ...

Ja, det var den gången i cigarrboden, och sen hade det väl aldrig vurti nåt mer, om det inte hade hampat sig så, att de träffades en söndag lite senare ute på Djurgården ... Aron varsna och fäste sig vid henne, där hon stog och såg på Kasperteatern, tyst och allvarlig och ensam stog hon där och såg Kasper slå sin käring i huvet med påken ... Och så gick han väl fram och slog sig i slang, och hur det nu vart så fick han bju henne på Blå Porten, bakelser och limonad ... Det var så det börja ... Och först skröt han väl med henne på logementet, en annan ligger inne med en stunsig fjälla, ussare, mens ni bassar får gå och fria hos pigorna i herrskapsköken, tjö ...

Men snart hade Aron slutat upp med att skryta om Ida.

Ida hyrde vindskupa i ett litet ruckel på Tegelviksgatan, han ser så tydligt framför sig den backiga gatan med hårt hamlade lindar och röda kåkar bak murkna plank, stöttade med bjälkar. Aron var distinktionskorpral den tiden och hade lätt att ta bonnpermis, och därmed började han tillbringa sina nätter under det lutande taket i Idas krypin, där det alltid drog in så fönsterrutorna skallrade, och rökhuven alltid klagade så övergivet, när den vände sig i vinden. Det hände att han kom dit innan Ida ännu var hemma från butiken, och då fick han fyr i kaminen och la sig att sova i den smala sängen. Så kom Ida hem och väckte honom med en omfamning, och varma nätter kunde det hända, att de satt uppe nakna och festade på bräckkorv och porter, och Aron rökte överdådigt på en herrskapscigarr av märket Henry Clay, och de skrattade åt enkla skämt och talade om den framtid tillsammans, som aldrig skulle komma. Sen sov de några timmar i den smala sängen, tills klockan slog fem i Katarina kyrka och väckte honom till en ny dag på regementet. Men även Ida tvingade sig upp ur sin djupa trötthet för att ännu en gång ta emot honom i famnen och ge honom kärlekens gåva att bära med sig på vägen.

Och för hans skull hade hon slutat med sitt vanliga leverne. Ungherrarna gjorde förgäves sina galanta propåer. En grosshandlare vid Skeppsbron erbjöd henne våning och egen butik, men Ida ville hålla sig till Aron. Hon var en dam av ädel vandel, som stog i tobakshandel, en stockholmsjänta med febriga ögon under den svarta pannluggen, och hon envisades med att tro på en framtid i lag med Aron Pettersson.

Men Aron Pettersson hade sina planer för sig. Syskonen skulle till Amerika, och därmed fick han en möjlighet att lösa till sig gården. Men till det behövdes pengar, och vad än Ida hade, pengar hade hon inte. Och inte var hon att tänka på som bondhustru, nej, fattas bara...

Men Aron kunde inte förmå sig till att göra slut ordentligt, han hade lite svårt och fördra kvinnotårar, han hade den egenheten för sig. Och när det vart tid för den stora kungamanövern i Skåne, tog han tillfället i akt och schappa. Och sen var det ju bara att försöka hålla sig undan från Söder och Gamla Stan. Men så en natt fick han se henne av en slump, det var vid Karl XII:s torg. Hon stog och stödde sig mot en av mörsarna kring statyn, och hon var svårt berusad. Hon stog och rystade av kväljningar, eller om det kanske var hosta eller gråt, svårt och säga, han ville inte se efter så noga. Men att hon än en gång hade gett sig till pyscha, det var ju tydligt nog. Så på sätt och vis var det väl en evig tur att en vart av med den?

Så kom utryckningen kort därpå, och snart hade minnet av Ida försjunkit i Arons långa bondeliv i Bälinge.

Men nu efter dryga sextio år har minnet av Ida kommit tillbaka, och Aron Pettersson inser med ens, att hans liv är slut.

Ålderdomen stod han länge emot. Döden blev han slutligen varse.

Han reser sig ur sängen och börjar klä sig, mödosamt. Han tvättar sig som på en söndagsmorgon, och slutligen tar han fram rakkniven, striglar den på psalmboken, som Elin burit upp i sitt fromma nit, och så rakar han sig så fint som till sin egen bröllopsdag.

Och när han är finklädd och rakad lyfter han ner de två tavlorna, Skyddsängeln och kronprinsparet, och han skär loss baksidorna med rakkniven och tömmer tavlorna på deras dyrbara innehåll.

Det är ännu mycket tidigt på morgonen, och Elin vaknar i kökssoffan vid sin makes sida av Urgubbens dundrande steg i vindstrappan. Hon sitter upp, yrvaken, och håller täcket framför sig när den ranglige gubben stiger in i köket och söker sig fram till bordet med käppen trevande som ett känselspröt. Därpå sätter han sig, knakande tungt, och börjar packa upp sin gåva på köksbordet. Vid senare kontrollräkning visar sig beloppet uppgå till fyratusensjuhundraåttio kronor, därav fyrahundra riksdaler i ogiltiga privatbankssedlar. Han sitter ett ögonblick tyst och andas tungt. Han har skurit sig vid rakningen, och skråmorna på den breda hakan är täckta med pappersremsor, rivna ur en femtilapp. Hans ögon är blinda och blacka som flisor ur en hästhov. Han andas tungt. Nu trevar han i västfickan, får upp den lilla mässingsdosan, väter på långfingret och lägger så Karl XV:s guldmynt till den övriga högen.

– Där, säger han. Ta det där nu. Och sen ska ni se till och få in mig på ålderdomshemmet.

Och därmed har han sagt de sista vettiga orden i sitt liv. Senil demens, säger doktor Lundewall, som har lätt för namn och etiketter. Aron Pettersson själv har inga förklaringar att ge. Han har vänt sig bort från världen och dess frågor. Minnet av Ida kom äntligen tillbaka, och han vet att hans liv är slut.

*

Men nu har redan månen bleknat bort och morgonen är inne, och för alla människor i Hedeby lovar det att bli en varm och solig dag, för alla utom för Erik och

Märta. Efter hängivelsens natt har eftertankens kalla morgonljus gått upp för Märta.

Hon sitter upp i sängen, döljer sina bröst i lakanet och gömmer ansiktet mellan armarna. Men Erik ser den mjuka fåran över hennes nakna rygg, ser höfternas rundning och det röda håret mot lakanets lysande, nästan blånande vithet, och ömheten värker och spränger i hans bröst.

– Vi kunde väl träffas i kväll? Om du har lust? Märta?

– Gå din väg nu, jag vill vara ensam ...

Bortvänd fumlar han med kläderna, oförnuftigt rädd att blotta sig, ty i detta klara morgonljus har de älskande blivit sin nakenhet varse. Märta drar i lakanet och sveper det tätare om sig, som om denna sedesamhet kunde göra gjort ogjort. Hon är så ensam en flicka kan vara, och det vänliga huset har förvandlats till ett fördömande väsen, väggarna stirrar anklagande på henne, och moraklockan tickar hatiskt: vad var det vi sa, vad var det vi sa, vad var det vi sa ...

Å, herregud, vad är det som har hänt med mig, varför kunde jag inte stå emot, jag är ju inte ett dugg bättre än mamma, och tänk om jag är med barn, med honom där, den svagaste och hjälplösaste av alla ... Och mormors bästa lakan som vi svinat ner ...

Om hon bara kunde vara med barn, tänker Erik, om vi bara fick ett barn tillsammans, då skulle hon aldrig gå ifrån mig mera ...

– Jag går väl ner på konditoriet i kväll, så vi får språkas vid? Om du har lust?

– Jaja, men gå nu, snälla du, jag vill vara ensam ...

Han går några tveksamma steg mot sängen för att få röra henne till avsked, för att än en gång få känna hennes hud mot sina händer, men hon kryper ihop av olust som inför ett slag, och han låter handen sjunka och ryggar modstulet tillbaka.

– Jag kommer väl i kväll, i vicket fall, säger han hopplöst.

– Bara du ger dig i väg ...

Och Erik masar sig i väg med kepsen i handen, lika hjälplös och hopplös som han kommit. Det är väl sånt här som Pärsy skulle skryta och bravera med, tänker han för sig själv. Men vad är det och skryta med, när det är henne jag vill ha och vara i lag med, alltid. Vad är det som har hänt, har jag gjort nånting fel? Allt verkade så rätt och riktigt då – men nu? Nu känns det lika orimligt och avlägset som en dröm. Ja, kanske att det bara var en dröm, alltsammans ...

Han vandrar avtagsvägen från Handlarn upp till stora landsvägen, ensam och osedd, som han tror. Men han är inte osedd. Bak trådgardinen i föräldrahemmet där uppe i backen står hans mor och ser på sin son med trötta, utvakade ögon. Nej, Hilma har inte sovit mycket i natt. Men hon har vakat och sett ner mot Karolinas stuga denna natt, och hon har haft gott om tid för eftertanke.

13

Jag vet inte riktigt hur jag ska förklara, men nog är det väl så, att det känns tryggt och säkert på nåt vis, så länge kungen är på Tullgarn och hålls med att fiska gäddor i viken i lag med han Eriksson, ty så länge Överheten förlustar sig, har den åtminstone inget sattyg för sig. Men nu har kungen äntrat sin Packard med bilnumret A 1 och kört hem till Stockholm i oherrans fart, och nog är det ett ängslande varsel, att det står illa till ute i världen. Som nu detta, att den här brännvinsagenten Ribbentrop och fjärdingsmannen Molotov kom ihop och förliktes, och så mycket vet en ju, att när så höga herrar som Stalin och Hitler gör upp i godo i stället för att ta en fet process, då ska remmarna skäras ur andras ryggar och tredje part får stå för kalaset. Så nu kan en bara vänta och se.

Ribbentroppakten har kastat sin slagskugga även över Stadshotellet, där Lundewall, Müntzing och Sill-Selim i modstulen stämning enats om smör, bröd, ost och sill som stilenligt spartansk inledning till en måltid i krigets tecken, under knapphetens kalla stjärna, och därtill malörtsbesk, för att få en bitter försmak av försakelse i munnen.

Och Sill-Selim verkar då så hålögd och avfallen och betryckt, som hade han redan genomlidit örlig och hungersnöd. Ovisst är, vilka hemsökelser som drabbat den godlynte och rundnätte mannen, en prydnad för böcklingrökarnas skrå. Müntzing betraktar honom med genomborrande blickar, fiken att finna ut en hemlighet, som han redan till hälften anar.

Ingen har ett öra till övers för Lundewalls skrovliga bas, när han för tionde gången berättar om Aron Pettersson, Urgubben ni vet, som erbjuder ett så medicinhistoriskt unikt fall av senil demens. Lundewall hade ju tittat till honom regelbundet, gammal som han var, en grälsjuk och domderande och svårhanterlig gammal knekt, och så med ens ... Nej, det var faktiskt ingen hjärnblödning, som man kunde ha trott, och inga andra fysiska förändringar kunde noteras, det var bara en total isolering från yttervärlden ... Halvblind var han förut, och nu ställde han sig döv och totalt ovetande om sina medmänniskor, satt som förstenad där på ålderdomshemmet, såg stelt framför sig och yttrade inte ett ord. Vilket onekligen hade det goda med sig, att fagerhultarna fick lätt att sätta honom på ålderdomshemmet, dom behövde inte urskulda sig ens ... Men vad i herrans namn kunde det vara som gubben led av? Stupor möjligen, i slutfasen av hastigt påkommen senil schizofreni?

– Om jag bara fick skicka gubben till Medicinalstyrelsen, sa Lundewall eftertänksamt. Fallet är unikt, tamfan. Gubben borde stoppas upp eller läggas på sprit ...

– Bäste bror har en besynnerlig uppfattning om den medicinska vetenskapens höga, människovårdande uppgift, sa Müntzing. Den torre och giftige bankkamrern är ju ingen ungdom längre, och känner sig ibland en smula illa berörd av Lundewalls cynismer om sjukdom, ålderdom och död.

– Asch, fan, sa Lundewall, en gammal bonntjyv, vad är så det och dalta med? Den medicinska vetenskapens sökande efter kunskap och sanning måste komma i första hand ...

– Och det är bättre att hela vårt folk förgås och städer och byar brinna, än att din förmenta vetenskap ska behöva sakna material? Jo, det är snyggt ska jag säga ...

– Tro har den för vilken något är heligt, sa Lundewall med gripenhet. Och jag tror på Vetenskapens sökande efter kunskap och sanning ...

– Nå, det låter ju aktningsvärt, men bäste bror må betänka, att vetenskapen till skillnad från Vår Herre är beroende av anslagsgivande myndigheter, och skulle dessa myndigheter börja kräva, att vetenskapen nyttjar människor som marsvin eller på liknande sätt ställer sig till statens förfogande, då blir åtminstone jag en smula betänksam ...

– Obskurantism, bölade Lundewall. Vidskepliga fantasier ...

– Ack, vad det är bittert, suckade Sill-Selim sorgmodigt.

– Bittert, sa Müntzing, och hans skarpa röst högg till som en äsping. Vad är det som trycker bäste bror, om jag får fråga, och vad är det som är bittert?

– Bittert, sa Sill-Selim, det är snapsen som är bitter, förstås, vad annars? Jag kan nu aldrig lära mig fördra malörtsbesk.

– Är det inte värre än så, behöver du väl inte klaga, sa Müntzing besviken. Här stundar vargatider, mina herrar, och detta lär vara en de sista gångerna vi samlas i glättigt lag i en fredlig tid ... Här rasar militärmanövrar i varenda skogsbacke, gott och väl, men nog var det beklagligt, att pansarskeppet Drottning Viktoria skulle drabba Östermans sjöbod med en tjugoåtta centimeters granat, en malör som inger mig vissa oroliga misstankar om vår marina beredskap... Och statsmakten ter sig alltmera stridbar, och nog får herrarna medge, att vår riksdagsman, Ludvig Johansson, har genomgått en högst anmärkningsvärd metamorfos... Tänk bara på detta kraftfulla ingripande mot vårt lokala nyhetsorgan och dess subversiva propaganda...

– Där sa du ett sant ord, noterade Lundewall eftertänksamt. Skomakar-Ludde verkade mest som en illröd socialist, när han gick här och kverulerade i statarköken, och så blir han riksdagsman och visar sig med ens som en måttfull och ansvarskännande karl...

– I sanning, ja... Och det kan möjligen stå som vår svenska socialdemokratis valspråk eller epitafium: ”Den Gud giver ett samhällsbevarande ämbete, den giver han ock den sanna sinnesändring och moderation, som gör det möjligt att förvalta samma ämbete...”

– Men nog var det synd om Nilsson på Bladet, som skulle råka så illa ut, invände den varmhjärtade Sill-Selim. Det var väl inte så illa ment? Och jag som hade en stor annons om böckling! Man får va tacksam en inte handlar med manufaktur...

De tre herrarna försjönk i tankfull begrundan av den maktens bannstråle, som drabbat deras avskilda och laglydiga stad. Skomakar-Ludde har ju nyligen knutits till det parlamentariska utskottet för värnande av Sveriges uråldriga, grundlagsfästa tryckfrihet, ett utskott som ser sin första uppgift däri, att skyndsamt inmana denna tryckfrihet i fängsligt förvar, låsa celldörren med dubbla slag och sedan kasta nyckeln i Norrström. Skomakar-Ludde grep sig nitiskt an och började sin verksamhet som utskottskollegorna hade för vana: han ringde tyske ministern, prinsen av Wied, och efterhörde vördsamt vad Hans Durchlaucht behagade se censurerat. Prinsen, som var morgonhärsken efter en kungamiddag, uttalade sig obehärskat om svenska pressen, och Skomakar-Ludde ville i sin iver lägga kvarstad på alla svenska tryckalster, undantagandes möjligen en priskurant från Åhlén & Holm. Fullt så hårt behövde man nu inte sopa, förklarade kollegorna för den nya kvasten, men för säkerhets skull gjorde man ett ordentligt notvarp, som också drog in den fridsamma spigg, som heter Trosa Annonsblad. I det anstötliga tidningsnumret hade Lindgréns Eftr. annonserat om vrakpriser och stor säsongrealisation på bruna skjortor och berlinerblå herrpantalonger, och annonsen hade tett sig suspekt för de örnögda herrarna på tyska legationen. Lindgréns Eftr. och Trosa Annonsblad bedyrade förgäves sin oskuld, rättvisan hade sin gång, och Skomakar-Ludde grundlade det rykte för duglighet, som i sinom tid skulle föra honom till maktens tinnar. Alla laglydiga trosabor skydde Lindgréns Eftr. som ett bolsjeviknäste, och Annonsbladet hade väl gått i konkurs, om det inte hade varit för legala notiser och annonser om exekutivauktioner och spädgrisar.

– Ja, svensken är laglydig, spekulerade Müntzing, han böjer sig saktmodigt under maktens färla. Och blir det krig lär vi få ställa in oss på en temporär återgång till det gamla: Gud, Konung, Fädernesland och ortodoxt envälde, de facto om ej de jure ... Men hade det inte varit för denna besynnerliga parentes, hade jag varit benägen att som förr betrakta Sverige som en bonddräng i slankveckan, mellan en gammal träldjänst och en ny, mellan en tro och en tro, en ortodoxi som går i graven och en ny, som vi bara kan ana... Och lydnad och tjänande och lugn och trygghet är väl vad svensken innerst inne åstundar, ty våra omskrutna frihetstraditioner är det väl inte för mycket bevänt med... Jag tror jag tar stuvad abborre, lilla Selma...

– Rotmos och fläsklägg för mig, sa Lundewall, jag behöver nåt hälsosamt och lätt, jag har börjat få känning av levern, vad fan det nu kan bero på... Nå, vad är det nu bror sitter och pratar om, drängtjänst och frihet, jag hörde inte på så noga...

– Nej, det var ingenting, just, suckade Müntzing, jag sitter bara och tänker högt, det är en ovana man kanske bör lägga bort tillsvidare...

– Sannerligen jag vet, sa Sill-Selim sorgset, men det är som jag hade tappat aptiten nuförtiden. Tror Selma jag kunde få en liten omelett?

Det gick väl för sig, menade Selma, och vandrade ut i köket med beställningen, något undrande över herrarnas måttfullhet. Måntro om Lundewall har fått en växel protesterad nu igen? Jaja. Det är synd om frun hans, henne är det inte många som känner för. Men tänka sig Lundewall äta fläsklägg, billigast på menyn, och just i dag, när vi har så fina kräftor... Gubbarna verkar dystra som läsare och rent i olag av idel renlevnad, och det kan ju vara på både gott och ont. Skönt och slippa blåmärken där bak, men dricksen får man väl se i månen efter...

– Jag har ett råd att ge herrarna, intonerade Müntzing ödesdigert.

– Vad?

– Ät aldrig korv! Köp aldrig köttkonserver!

– Nu låter du som en besiktningsveterinär – vad menas?

– Rävfarmarn har sålt sin besättning, som bekant.

– Undra på det, så som han har det, suckade Selim. Karlstackarn måtte vara alldeles under isen. Han va inom på mitt kontor häromdan och sökte arbete i rökerit... Men jag hade inget och ge honom, det var ett elände och se...

– Rävfarmarn har sålt sin besättning, återtog Müntzing, dystert orubblig som en siare. I min egenskap av bankman var jag med och förmedlade transaktionen...

– I din egenskap av bankman var du väl med och skojade upp karlstackarn, för han lär ha fått uselt pris av buntmakarn...

– Det ankommer inte på mig att diskutera priset, sa Müntzing värdigt. Och vad buntmakarn beträffar, agerade han bara bulvan för andra intressenter, vilkas namn och näringsfång banksekretessen förbjuder mig avslöja. Vare det nog sagt: ät aldrig korv och köttkonserver, mina herrar! Här stundar bistra tider i vårt land...

Till all lycka inträdde nu Selma med varmrätten och avbröt all vidare diskussion i dessa mörka frågor. Herrarna granskade och dissekerade med ovanlig misstänksamhet och omsorg. Dock tycktes maten vara vad den utgav sig för: omelett, fläsklägg och stuvad abborre. Men forna tiders muntra fråsseri var ett minne blott, och Sill-Selim nöjde sig med att peta i den kanariegula äggrätten.

– Hur går det nu med Jungfrulust, undrade Lundewall med munnen full av fläsklägg. Artar det sig till att bli nånting av?

Sill-Selim ryckte till och tappade gaffeln, blek som servetten han knutit om halsen. Han stirrade på sin dryckesbroder med glasartad förfäran.

– Jag förstår inte ... Jungfrulust? Är det nåt som bror har hört? Är det nåt man pratar om?

– Vad fan går det åt dig? Börjar du bli åderförkalkad? Kommer du inte ihåg att du donerade pengar till det där hemmet för nödställda damer på tjocken? Du ville ju ha vasatrissan, har du glömt det? Artar det sig till att bli nånting att hänga på fracken?

– Jaså, vasaorden, suckade Sill-Selim och sjönk ihop av lättnad. Jag trodde du menade ... Ja. Vasaorden har jag inte tänkt på så mycket sista tiden, det är ju en världslig sak ... Den kan man ju både ha och vara utan.

Lundewall gapade förvånat åt denna stoiska resignation. Men Müntzing, som ruvat Sill-Selim med sin skarpa blick, drog sina läppar till ett ironiskt leende.

– Det är bra, broder Zetterlind. I dessa underliga tider får man lära sig vad som är viktigt och vad som är umbärligt här i livet. Och vad skulle så det betyda, om vasatrissan rullar brors näsa förbi? Går inte livet vidare ändå, detta förunderliga liv, som ständigt skjuter nya skott och knoppar ...

– Skott och knoppar, mumlade Sill-Selim, blek och skälvande som en pudding, jag förstår inte riktigt vad bror vill ha sagt ...

– Sagt och sagt, ingenting särskilt, jag bara sitter här i mina pangséer. Och med ens slog det mig, att ungkarlsståndet kanske har sina fördelar, som jag aldrig rätt insett när jag begrundat herrarnas blomstrande familjelycka, även om det må vara, att du, Lundewall, för det mesta gläds åt din familjelycka här på krogen, med familjelivets vardag på behörigt avstånd. Och det är klart att det för ansvar med sig att ha familj, ansvar och risker och hotande fataliteter... Hur står det till, bror Zetterlind, mår du inte bra? Nå, vad jag skulle säga... Hur är det, har någon av herrarna haft påhälsning av vår lokale stråtrövare, den här fosterlandsförsvararen Pärsy, eller vad han nu heter... Han lär ha varit framme både i Lida och Hunga.

Nej, ingen av herrarna har hemsökts av inbrottstjuven Pärsy, däremot patron Lönbom på Lida, den rike knösen, och även hemmansägaren Eskil Pettersson i Hunga, som är svårt betungad av amorteringar och hypotek, det skulle Müntzing kunna intyga, om banksekretessen så tillät. Nå, förmodligen var Pärsy på jakt efter mat och sprit, som Lönboms mycket riktigt har hamstrat och lagrat i stora kvantiteter, men Lidas stadiga dörrar och lås kunde han inte forcera. Däremot tog han sig in i stora jordkällaren i Hunga och förstörde en oherrans massa ägg, mest för nöjes skull, som det verkar. Nu driver ju Eskil hönserit vid sidan av, mest för att klara bankräntor och annan avgäld, och de äggpengarna kunde han illa umbära. Förövaren av dådet kunde inte gripas, men polisens undersökningar går i en viss riktning, Fjärsman och Länsman irrar som yra höns, och hade det inte varit för krigsfaran, hade väl Södermanlands regemente uppbådats till siste man för att gå skallgång genom Hedebys skogar och möjligen driva upp den fågelfrie. Men än så länge löper han på fri fot.

Dock, för småpojkarnas kult av frihetens idol vart händelsen ett svårt bakslag. Försöket mot Lönboms skafferi verkade på sin höjd halvhjärtat, vandaliseringen av Eskils fattiga ägodelar kan inte fan själv förklara, och än har det inte försports, att Pärsy skulle ha tagit ett rävöre från de rika för att ge åt de fattiga. Och Handlarns obetydliga förlust vart ju snart gottgjord av alla nyfikna, som drog till butiken för att falka efter nyheter, en förvetenhet som för skams skull måste maskeras med lite inköp. Så inbrottets yttersta följd blev att Konsums och Strandvalls Eftr. där nere i samhället i långa tider stod övergivna av kunderna.

Men detta kunde ju inte Robin Hood ha avsett, och hur skulle nu detta förklaras? Kunde det möjligen vara så, att de vuxna hade rätt för en gångs skull, att Pärsy inte företrädde friheten utan bara sin egen maktlöshet och förstörelselusta?

Frågan klöv pojkarnas parlament i två häftigt stridande fraktioner. Bondsönerna uppträdde som Pärsys vedersakare, ty de kan bara alltför väl begripa, hur Eskil i Hunga måste känna det, de minns bara alltför väl de dystra kvällar när förfallodagarna nalkas, och far och mor sitter vid köksbordet i ängslig stämning, tummar stämplat papper i styva arbetshänder, räknar mjölkpengar som inte vill förslå, adderar summor med blyerts på påspapper, summor som aldrig riktigt vill stämma... Jo, det där kände man igen, och Eskils klammeri är bara alltför välbekant...

Till Pärsys försvar uppträder Gert Svensson med fanatisk iver och beskyller sina motståndare för högeropportunism och fegt och osolidariskt samarbete med vuxenimperialismen. Pärsy var frihetens ende representant, förklarade Gert, han var ensam och inringad av den vuxna världens kontrarevolutionära krafter, därför måste han förstås och förlåtas, och den slutliga domen över mycket som nu tedde sig dunkelt fick anstå till framtidens frihetsrike, då allt skulle bli slutligen uppenbarat. Och Gert vände sig till Axel Weber, församlingens bokmal, och begärde av honom teoretisk hjälp och upplysande exempel ur litteraturen. Men Axel gick i skrifterna med klent utbyte. Att frihetshjälten Dacke var svår på fruntimmer framstod som en tröst, men annars var det klent med likheter. Dacke hade egenhändigt nedlagt en hoper fjärdingsmän med armborst och bössa, men Pärsy har ju inte krökt ett hår på Fjärsmans träskalle, och att Dacke skulle ha plundrat sina bröder bland bönderna, det hade man då aldrig hört talas om. Ej heller hade Dacke lyckats skapa ett frihetsrike på jorden, och om Pärsy skulle lyckas bättre måste kvarstå som en öppen fråga.

Gert var missbelåten med sin ideolog, motsättningarna stretade och bände, debatten rasade oförsonligt på den gamla träbron över ån, och ibland kluckade besvikelsen som gråt i strupen. Värst vart det för en nyinflyttad pojke från Tystberga, som tvehågsen nalkades gruppen och försökte muta sig till vän med en strut av Handlarns karameller. Gruppens inbördeskiv utfälldes genast som hat mot utbördingen, som trakassaserades illa, hunsades, hånades och vart hårt hanterad, tills han slutligen försvann i backen upp mot Alby, övergivet hulkande i sitt elände. Pojkarna hängde på träräcket efteråt, idisslade karameller och dåsade som mätta korpar, i en oklar känsla av samvetskval och slö lättnad, som vuxna människor efter en utsvävning. Enigheten är tillfälligt hoplappad, debatten ställd på framtiden. Nu kan en bara vänta.

För de värda herrarna på Stadshotellet är Pärsy ett enklare problem. Lundewall ivrar för att pojken ska snöpas, men Sill-Selim oroas över att en sådan åtgärd kan komma för sent, på tok för sent, när obotlig skada redan är skedd, och Müntzing nöjer sig med en axelryckning och knäpper bort problemet Pärsy som ett dammkorn från kavajslaget.

Från samhällets utstötte vänder sig samtalet till samhällets stöttepelare, den store finansmannen och mecenaten direktör Brunzén, som Hedeby måhända varit benägen att döma för hårt, på den punkten är de tre herrarna ense. Vad näringsfånget anbelangar får man ju visa en smula överseende och tolerans, och vad den excentriska exteriören beträffar – tja! Det vet man ju hur stora finansiärer kan bete sig, ty även det ekonomiska geniet tar sig uttryck, som för den banala vardagsmänniskan kan verka lite bisarra. Men nu har denna oslipade diamant för allt folket uppvisat sin sanna kvalitet.

I söndags var det auktion på Trosa societetshus, till förmån för den yttre missionen. Bland auktionsvarorna befanns också ett antependium, egenhändigt broderat och nådigt donerat av Hans Majestät i egen hög person. Brunzén infann sig på auktionen och ropade in antependiet för ett belopp, som fick församlingen att baxna. Greve Tre Rosor på Gieddeholm föll ut ur konkurrensen vid tolvhundra riksdaler, och sen satt Brunzén en dryg halvtimme och bjöd över sig själv. Det kungliga handarbetet blev i sanning skattat till sitt rätta värde, och den yttre missionen rikligen försedd. Antependiet överlämnades sedan till Hedeby kyrka, jämte donationsbrev och en fet check till restaureringen; enahanda donationer utgick även till kyrkorna i Vagnhärad, Västerljung och Hölö. Denna exempellösa generositet belönades med tackbrev av landshövdingen själv, ett brev som Brunzéns horor, eller flickor får man väl säga numera, bar ur hus i hus och lät alla läsa som ville.

– Det var en intressant skrivelse, sa Müntzing eftertänksamt. Intressant för personer som i likhet med mig kan läsa mellan raderna. Och vet du vad som stod mellan raderna, bror Zetterlind? Där stod VASATRISSAN, i eldskrift, jag försäkrar, och jag är rädd att Brunzén får riddarslaget långt före dig, min äregirige vän...

– Äregirig och äregirig, mumlade Sill-Selim saktmodigt. Jag fäster mig så lite vid det där, numera. Det finns ju viktigare saker att bekymra sig för...

– Se det var en märklig sinnesändring, spekulerade Müntzing, rönnbärsfilosofisk eller stoisk, likmycket, en sak står klar: den värde Brunzén upphör inte att förvåna...

Nej, det är bara alltför sant, Brunzén har visat sig vara en Harun al-Rashid i förklädnad. En dag hade han uppträtt på inspektion i Vallas kalkbruk, och tillspord av Nikodemus, varför han gick där och drällde vid ringugnen, kunde han förete ett vördsamt brev från Handlarn, varav framgick, att även Brunzén var stor aktieägare och en helvetes pamp. Brunzén drog sig tillbaka under dunkelt tal om permitteringar och rationalisering, så nu går dom väl lite var där på bruket och darrar i blåställen...

Den som börjar med en knappnål slutar med en silverskål, heter det, och Brunzén, som började med att skicka fru Brunzén på gatan, har slutat i näringslivets högre räjonger. Inte ens Müntzing har varit rätt underrättad om Brunzéns vidlyftiga affärer, ty Hölebo Härads Sparbank är en tanig kyckling, som finansdjungelns tiger gått liknöjd förbi. Annars tycks Brunzén ha sina feta fingrar i det mesta, i kalkbruk och metall och papper, och talar ryktet sant, har han också en tumme i Stockholms Kvällsblad, som så ivrigt förespråkar frisinne och tolerans i ett fritt samhälle.

Ja, nog är Brunzén en helvetes karl.

Det enda molnet på hans himmel är det här med Dorotea.

Kyrkoherde Ahlenius sköna tillbedjerska befanns en morgon försvunnen från det glada sommarnöjet vid Gieddeholmsviken. Fjärsman har fått stränga order att återföra flickan i tjänst hos Brunzén, men jakten på Pärsy ger honom inte mycket tid till övers.

Och direktören Brunzén är kränkt och sårad in i hjärteroten: en aldrig så liten gnutta lojalitet och ansvarskänsla hade en väl haft rätt att vänta sig, sen en varit som en far för flickan, och vad är det egentligen för ungdom vi har nuförtiden, vart barkar det hän med vårt land?

Sålunda klagar Brunzén inför aktningsfullt lyssnande hedebybor.

Men Dorotea är och förblir försvunnen.

14

Och Gud sade: må rymden frambringa ett vimmel av bevingade varelser, må fåglar flyga över jorden under himmelens fäste.

Och Gud skapade fåglarna till änglarnas avbild, till frihetens vårdtecken skapade han dem.

Men änglarna såg med avund sina bevingade småsyskon, och på sjätte dagen började det tryta med mojänger och remedjer för Vår Herre, just som han skulle sta och skapa människan till sin avbild.

Och han lyfte sin hand mot skyn, och tusentals fåglar förstenades i sin flykt och föll till jorden och krossades i otaliga skärvor av smaragd och lapis lazuli och krysofras...

Krysofras... Det sköna ordet ur bibeln inger Agnes Karolina en stilla högtidsglädje, som vid helgmålsringning en lördagskväll om våren, då man blåser såpbubblor efter veckobadet, och vardagens grälsjuka röster har tystnat en dyrbar stund...

Och Herren Gud danade människan av stoft från jorden och byggde hennes ben av stenfåglarnas dyrbara skärvor, och därpå inblåste han sin livsande i hennes näsa.

Och sedan den dagen bär människan minnet av friheten i sina ben och sin märg, och aldrig skall människan upphöra att söka skapa ett frihetens lyckorike på jorden. Åter och åter skall människan misslyckas i sitt vanskliga frihetsbygge, åter och åter skall hon börja på nytt. Nån gång måste det väl äntligen lyckas. Inte i år och kanske inte nästa. Men nån gång.

Agnes Karolina står på knäna i kökssoffan, vilar hakan i händerna och ser ut genom det dammiga fönstret, där enstaka rutor skimrar gröna och blåsiga av ålder och bryter träden där utanför till kantiga konturer, som krumeluren på omslaget till Runmärkt Smör. Agnes vaggar på huvudet och låter träden dansa därute med spetsiga knän och ryckiga rörelser. Så får hon en sysslolös timme att gå. Så undgår hon vardagens grälsjuka röster där inne i kammaren: det är mamma som tjatar på Berit för nåt sattyg hon ställt till med . . .

Agnes Karolina ser ut genom fönstret och försjunker i sina svävande oklara flyktdrömmar. I pappkartongen där bort vid vedlåren vilar hennes fina samling av utvalda stenar, inte smaragd och krysofras, men näst intill. Men vad har en för glädje av dom? I dag när det känns så motigt att leka och drömma. De skarpa rösterna på kammaren tränger in och väcker henne obarmhärtigt.

Hon är en tystlåten flicka, Agnes Karolina, går tyst och mest för sig själv, läser hungrigt alla böcker hon kommer över, fast Oscar den andres lärda luntor kan ju vara i svåraste laget. Ofta är hon hänvisad till Märtas konfirmationsbibel, som blivit liggande bortglömd på skänken.

Tystlåten, och skygg för vad som ska komma, ty hon har sett Signe och Märta framställda som bilder för hur livet kan vara. Kanske är det därför hon har flytt in i sina tysta lekar och drömmar om ett annat liv, nån stans, nån gång. Gamla kvinnor anturar sig över henne ibland: den flickan är för eftergiven och stilla för att länge leva på jorden ...

Leva länge? Leva som mamma på jorden? Som Märta? Agnes ser upp mot himlen, men i dag kan hon inte skönja några fåglar.

Och i kammaren rasar vardagens grälsjuka röster.

Nu är du så innerligt vänlig och talar om var du fått tag i pengarna, för här i huset snyter man inga riksdaler ur näsan, och så där mycket snask och tidningsblan har dragit sina modiga slantar ...

Angår det dej, va? Berit sitter uppkrupen i sängen på kammaren, döljer sina smutsiga, nakna fötter under klänningsfållen och kramar i famnen Hela Världen, Allas Veckotidning, chokladkakor och två stora strutar karameller av Handlarns finaste Delicatesse-sortering. Och va har du med det och göra? Va? Hon bjäbbar emot efter förmåga, med munnen full av snask, ältad till en kladdig boll av bruna, söndriga tänder.

Fläckig i ansiktet, stor och tung och förhatlig står modern framför henne och knyter sin blå näve under hennes näsa: tigger du stryk? Vill du jag ska skvallra för Svensson?

Och nu kryper sanningen fram till slut.

Berit har varit nere i samhället för att uppsöka Märta på Ohlsons Hov-Conditori, en tidig eftermiddagstimme, då storpojkarna står i sitt arbete, och det vanligen brukar vara tomt därinne. Men det var inte alldeles tomt. I finsoffan bak bästa bordet satt Brunzén, brekande med knäna under den tunga magen, och med hakorna vilande på käppens guldkrycka. Framför honom stod Märta i sin svartvita uniform, oroligt tvinnande en handduk mellan händerna. Hon hade fräst otåligt åt lillasystern, men Brunzén hade bara kluckat vänligt, och fiskat upp ett par kronor ur västen: se där, lilla vän, ta nu det här och kila i väg och köp dig nåt gott, om ett år eller två kanske vi kan talas vid igen . . .

– Säger du att hon stog och språkade med Brunzén? Märta?

Signes arbetshänder, blå som på en färgare, sjunker maktlöst och gömmer sig under förklät. Stog hon och språkade med Brunzén, herreje, vad ska nu detta betyda? Nya rykten om Märta har tasslat i stugorna, och så detta . . . Nej, det kan inte vara möjligt, det finns ju ändå gränser . . . Men snart kommer mamma hem från sjukstugan, så har jag åtminstone någon att prata med . . .

– Såg du till Svensson mens du ändå var nere?

– Klart jag gjorde. Han satt och söp, förstås. Verkade som Ville Vingåker hade brännvin och bju på . . .

Så, han satt och söp, ja, var ska sleven vara om inte i grytan? Och brännvin till på köpet, då lär han inte va för god när han kommer hem i kväll, antingen han är fyllkåt eller grälsjuk eller vad det nu kan vara . . .

Signe sätter sig i kökssoffan för att lindra värken i korsryggen och ser på sina blå händer: aldrig i livet har jag väl skavt ihop så mycket blåbär som i år. Fast det är ju tur att Konsum vill ha blåbär till konservering, och nypon ska dom ha i sinom tid, ja, även den fattige kan göra sig en slant på det krig som ska komma . . .

– Kom och hjälp mig nu flickor, jag rår inte med och

rensa alla blåbär själv ...

Agnes lyder genast och sätter sig undergivet i arbete vid bakträget, som är fyllt till råge med blåbär. Berit ansluter sig, motvilligt gruffande, medan käkarna mal och färgar hennes munvinklar bruna av lakritsbåtar. De rör om i den blå drivan och plockar med flinka fingrar efter stjälkar, gröna blad och röda kart. Agnes lyfter en handfull blad och blåser på dem, inåtvänt leende åt någon hemlig insikt, när de virvlar runt och sjunker i solstrålen, genomskinligt gröna.

Bären känns vaxigt glansiga och svala i handen, och i vanliga fall hade det kanske kunnat bli en god stund av gemenskap, med gåtor och snottra och enkla skämt. Men i dag är stämningen tung.

– I vicket fall som helst blir det ingen förlovning utav, säger Berit.

– Vad i fridens dar är det du pratar om?

– Erik var till guldsmen i Nyköping i förrgår. Men när han kom till kondiset och skulle ge ringen till Märta, så blev det inget utav.

– Prata inte om det där nu ...

– Först så ville hon och sen så ville hon inte, säger Berit och granskar Signe med lystet spörjande blickar. Nog är det konstigt? Mamma?

– Lägg dig inte i vad du inte begriper!

– Men nog är det väl konstigt i alla fall?

– Håll tyst och gör vad du ska!

Berit trular och vet vad hon vet. Hon tror jag inget begriper, bara för jag är liten. Arton karats guld, men Märta ville inte ha den. Han skrek som en stolle, och det var nästan så han grinade när han gick från konditorit.

Tänk, denna höga, avundsvärda kvinnomakt: att få en vuxen karl att gråta. Men har en varit i lag med en baron och fått honom att gå i sjön, då lär det väl inte gå av för mindre? Men varför skulle hon lura honom så där, det verkade ju vara ord och avtal innan Erik for till Nyköping? Om det nu kan ha varit så, att hon trodde hon var på det viset ... Och sen fick hon sina saker, och då ville hon inte vara med på det längre, fast det var en riktig ring, arton karats guld, en riktig förlovningsring att bräcka av storflickorna med ...

Berit ser på Signes slutna ansikte med lystet forskande blickar. Hennes tankar irrar som nyfikna taxar i den vuxna kvinnovärldens hemlighetsfulla skog.

– Ska mormor dö nu, undrar Agnes Karolina, viskande, halvt för sig själv ...

– Mormor dö, vad pratar du för strunt ...

– Jamen, är det inte så. Är det inte därför hon kommer hem från sjukstugan? För och dö?

– Men kära barn, det vet du väl att mormor ska på lasarettet i Nyköping, Lundewall kunde ju inte lura ut vad det var för fel ... Nu ska hon bara hem och packa och rusta sig lite innan hon åker till Nyköping ...

– Jag vill inte att mormor ska dö.

– Men lilla Agnes, var har du fått det där ifrån, vem har sagt att mormor ska dö?

– Ingen särskild. Jag fick för mig det, bara ... Åter försjunker Agnes i sina inåtvända drömmar.

Omöjliga unge, det är väl för att hon går för sig själv och grunnar jämt och samt. Mamma dö, jo, det skulle just ställa mig ensam och på bar backe ... Ja, vem vet ...

– Sitt nu inte och dröm, Agnes, utan försök och hjälpa till, så vi får det här undangjort nån gång ...

Hej, tomtegubbar slå i glasen, och Svensson sitter och super därnere vid hotellet, då lär han inte vara för lustig när han kommer hem ... Och Märta hon slapp väl undan med blotta förskräckelsen, men vad hon nu ska ta sig till ... Om bara pappa var i livet, om bara mamma var frisk? Och samarbete mellan fascismen och arbetarstaten är fullständigt otänkbart, ja, det finns mycket otänkbart som bara händer, antingen en vill eller inte. Som att en ska behöva spy som en sjuk katta vareviga morgon, antingen en vill eller inte. Men Märta hon slapp undan med blotta förskräckelsen ... Och vad ska en sen ta sig till, när det inte längre finns bär och plocka?

Signe stelnar till och lyssnar utåt gården efter välbekanta steg. Så torkar hon sina blå händer på förklädet.

– Ni kan ju ta ledigt ett tag om det blir drygt, säger hon. Ta med dig Agnes in på kammarn och dela med dig lite, du kan ändå inte sätta i dig allt det där snasket på egen hand ...

Flickorna slinker ut på kammaren utan ett ord, de har ju själva förstått vem det är som kommer, han som alltid hälsar på när Svensson är borta och som bara kommer för att prata – Oscar Hesekiel Ahlenius. Han som försöker vara snäll, fast han aldrig riktigt kan. Och i dag ser han bra besynnerlig ut – ridbyxor och stövlar, precis som Lönbom på Lida, ja, nog ser han konstig ut i dag, Oscar den andre ...

– Jaså, du kom i alla fall, säger Signe, utan att vända på huvudet. Jag trodde knappt jag skulle få se dig mera.

– Det har ju varit rätt mycket den sista tiden, säger han. Och du sitter mitt i skörden?

Hans skratt låter ansträngt och gällt.

– Det är Konsum som köper opp blåbär, för och konservera. Och man får ju ta vad arbete som bjuds. Dom ska väl lägga opp konserver, nu när kriget kommer. För nu lär det väl inte stå så länge på? Innan dom brakar sta?

– Det verkar ju så, förstås. Oscar den andre tar näsduken ur kavajens bröstficka, vecklar ut den, slår dammet av kökssoffan och granskar närsynt sittplatsen innan han slår sig ner. Det vore förtretligt att få blåbärsfläckar på byxorna. Detta besök är förargligt nog som det är. Och Signe är inte den som undviker det ömtåliga ämnet.

– Nå, hur vill du förklara det här nu då, säger hon strävt.

– Vad då förklara ...

– Du förstår mycket väl vad jag menar. Det här att han gjorde opp med Hitler. Vad säger du om det? Du brukar ju vara bra på att förklara.

– Tänker du hålla mig ansvarig för ribbentroppakten?

– Det är inte fråga om ansvar nu. Jag vill bara ha en förklaring. Sånt brukar du ju vara bra på, det finns ju inget så helsickes vettlöst och dumt, så inte du kan dra sta med nån sorts förklaring ...

– Jag vet inte så noga, det är väl kanske förhalningstaktik, skulle jag tro, det är inte så lätt och veta ... Men det är klart jag förstår att du är besviken ...

– Besviken! Du tar då inte till i överkant, det vore synd och säga ... "Samarbete mellan fascismen och arbetarstaten är under alla omständigheter uteslutet", var det inte så du bruka säga? Ja, det hade man åtminstone att hålla sig till, hur det än krängde och slängde, och nu är det alltså meningen att vi ska slicka Hitler i arsle... Hur förklarar du det?

– Jag vet inte så noga, jag har inte sysslat så mycket med politik på sista tiden... Oscar rör sig olustigt i soffan. Signes kraftfulla, proletära språk, en gång så tjusande och pittoreskt, har med ens börjat låta tarvligt och vulgärt i hans öron.

– Fan, vad det kom hastigt på? Så du har lagt av med politiken, säger du? Men var det inte du som bruka påstå, att allt en gör eller inte gör är en politisk handling? Och det går inte och dra sig undan? Hur många gånger har inte jag varit trött och utless på alla böcker du kommit dragandes med, men då har du alltid sagt, att också det här att vara trött och låta bli är en politisk handling... Men det kanske är en helt annan sak, när det är du som lägger av med politiken...

– Snälla Signe, det här är faktiskt lite svårt att förklara...

– Det var då själva fan vad allt har vurti svårt och förklara så här med en gång!

– Men kan du då inte försöka sätta dig in i min situation! Förstår du inte, att jag håller på och göra mig omöjlig med min politik, omöjlig i släkten, i karriären... Och inte lär det bli bättre om det blir krig, och Sovjetunionen dras med... Jag kommer att bli utstött, gå under! Det finns väl gränser ändå för vad jag måste offra för politiken...

– Jaså, du offrar dig, och du går under... Nå, vad ska du nu ta dig till?

– Det är lite svårt och förklara...

– Svårt och förklara, jaha ... Nå, varför har du spökat ut dig i ridbyxor, du ser ju ut som en rättare ...

– Jag har gått på Lida sista tiden, och tagit ridlektioner för Lönbom ... Jag lär väl bli inkallad nu, det går väl inte och skylla ifrån sig på Uppsala längre ... Och då tyckte jag det var lika så gott att jag passade på ...

– Ska man kunna rida för och göra excisen, vad är det för snack?

– Det är väl lika bra jag förklarar. Uppsala blev det ju inget av med, och jag kan nog inte räkna med hjälp av pappa längre. Och när jag nu ändå måste rycka in och göra militärtjänst ... Jag har ju alltid varit intresserad av skytte ... Nånting måste jag ju ta mig till? Jag skrev och hörde mig för hos Eberman, han som är svärson på Näsby, du vet. Han hjälpte mig lite med ansökningar och så ...

– Vad i jösse namn är det du pratar om?

– Tja! Jag har sökt in som officersaspirant ... Nånting måste jag ju göra?

– Offser?

– Vad vill du jag ska göra? Antingen det eller gå under ...

– Offser, på riktigt, som Eberman?

– Jag behöver ju inte sälja min själ för det? Det kan väl behövas yrkesmilitärer med politisk medvetenhet, såna kan ju göra en insats en dag ... Jag kan ju behålla min mening för mig ...

– Behålla din mening ... Hör du, Oscar, om du tar och badar bastu och sen går och vältrar dig i en dyngstack, tror du dyngan blir ren av det?

Glasögonen blixtrar till när han kastar en hastig blick

mot Signe. Han far med handen över ansiktet: måste raka av skägget innan jag rycker in. En sån odräglig människa. Förstår inte hur jag någonsin kunde tilltro henne att skaffa sig en smula omdöme och förnuft... Och vad tjänar det till, att man uppoffrar sitt liv för en sån, en grälsjuk, halvgammal schana, och henne har jag sett som sinnebild för Folket... De proletära massornas oemotståndliga kraft, historiens hävstång, jo, tack vackert, att få liv i denna döda massa har varit som att försöka rubba en jordfast sten... Men populismens mjölktänder har jag i alla fall blivit av med... Det finns ju bara en väg: låt den medvetna eliten styra, och ge massorna illusionen av delaktighet och makt, dom vet ju ändå inte sitt eget bästa. Så kan det kanske gå, inte nu eller på länge än, men nån gång...

– Det är lätt för dig, Signe, att moralisera, tar han vid igen.

– Ja, fyfan, vad allting är lätt för mig!

Jag förstår inte vad det är för sentimentalitet, som får mig att sitta kvar och lyssna till den där människan. Meningslöst och ofruktbart. Varför reser jag mig inte och går, helt enkelt?

– Jag har inget val, säger han. Begriper du inte att det här är min enda utväg? Jag har ingenstans att ta vägen, annars.

– Nehej... Men du har i vicket fall en utväg och nånstans och ta vägen, men vill du nu va så fullifan och svara mig en sak... Vad har egentligen jag för utväg, och vart menar du jag ska ta vägen! Eller mamma eller Emma i Eneby eller... Vad har vi för utväg! Vart ska vi ta vägen!

– Jamen, det är ju en helt annan sak ... Snälla Signe ...

– Ja, tänk ... Tänk att jag inte kunde begripa det? Du Oscar, och vi härnere ... Det var verkligen en helt annan sak ...

– Jag vet inte hur jag ska förklara ...

Nej, och även om han kunde, vad skulle det tjäna till? Den tunga, förlamande ledan överfaller honom med sitt följe av cynismer och ironier. Ironi inför en människa som hon, det är verkligen att kasta pärlor för svin ... Minnet av den stora bjudningen på Lida kommer för honom: den överseende vänligheten när den gödda kalven slaktades och den förlorade sonen välkomnades tillbaka i fadershuset ... Kära Oscar, vi har ju alla varit unga och upproriska en gång, och nu talar vi inte mera om det ... Det egendomliga behaget, att på en gång vara delaktig, innesluten i en gemenskap, och utanförstående, betraktande, ironisk ... En så egendomlig känsla av frihet – men hur skulle hon kunna begripa ...

– Jag måste gå nu. Det är sent.

Signe sitter kutig och försjunken i sin hopplösa, stentunga dvala, när han försiktigt reser sig och tassar ut. Hon rycker till när dörren slår igen.

– Ta med dej dina förbannade böcker, skriker hon. Och hon springer till skänken och kastar de utlånade böckerna efter honom.

– Jag vill inte ha nåt som är ditt!

Men det är redan försent.

Manifestet och Bebel och Våra Vanligaste Främmande Ord dunsar i den stängda dörren och flaxar ner bland golvets blad och blåbärskart som skadskjutna fåglar.

Strunt samma, förresten, han lär väl inte behöva böckerna längre ...

Så trött med ens, så trött som aldrig, aldrig förr ... Hon hasar med sina sista krafter över golvet och sjunker ner i soffan.

Så in i märgen trött, så åldrad i förtid, så gammal ... Men ändå inte för gammal att bli med barn ...

Men jag får inte börja gråta, vad jag gör ...

Så vart jag då alldeles ensammen till slut.

Pappa är död. Och honom var det ju nåt fel på, om man får tro på offseren Oscar den andre, pappa var för vidskeplig och relischös och opium för folket och falsk medvetenhet, det var ju nästan så jag fick skämmas för att jag sörjde honom och ville ha honom åter ...

Men jag får inte börja gråta, vad jag gör ...

Och min egen mor, som jag borde vara till hjälp och stöd, henne har jag plockat på vartenda öre, och i detta nu sitter Svensson och super opp hennes folkpension nere på hotellet ...

Men jag får inte gråta.

Och Märta går väl och ställer sig i olycka vilken dag som helst, och Berit och Gert har jag ingen hand med, och Agnes tar bestämt och blir konstig i huvet av att gå ensam utan jämnåriga kamrater här bort på malmen ...

Blåbär och en skvätt gällen mjölk är allt jag har att bjuda ungarna i dag. Och i vår ska jag omkull och krysta ur mig en unge till, där har jag för att jag är en vanlig kvinna med en kvinnas känslor och behov ...

Och denne stränge läromästare, som alltid fann så mycket fel på mig och mitt klena huvud, Oscar Hesekiel

Ahlenius, han ska bli offser och fin karl, och därmed ska han komma hem och få en fristad hos de sina. Så vart jag då ensammen till slut.

Men jag får inte börja gråta, vad jag gör ...

Hon kastar förklädet över huvudet och knyter de blåfläckade händerna i knät för att behärska sig. Vanan kommer henne till hjälp, och ännu en gång har hon förskonat barnen från det plågsamma: att se sin mor i gråt. Resignationen löser hennes förstenade vanmakt, hon reser sig tungt, plockar upp böckerna från golvet och slänger dem i vedlårn. Så återtar hon sin plats vid bakträget och fortsätter sitt arbete som förut.

– Kom ut nu, flickor, ropar hon inåt kammaren. Jag är ensammen! Kom ut och hjälp mig med bären, vi måste klara av det här innan det blir kväller.

Sent, mycket sent samma kväll kommer Svensson hem till de sina. Brännvinet har sökt honom på det sättet, att han är både fyllkåt och våldsam. Han utkräver sina äktenskapliga rättigheter och grips av häftig vrede, när Signe vägrar att ställa honom till freds. För denna ohörsamhet tuktar han hårdhänt sin hustru. Med ett kvastskaft och med knuten hand agar och tuktar han sin hustru, hårt och länge.

Berit och Agnes har kommit ut ur kammaren och ser på misshandeln, hand i hand. De står bleka i sina nattlinnen och ser Svensson tukta och aga deras mor. De aktar sig noga för att protestera, klaga eller gråta. Berit och Agnes har varit med förut. De vet att de inte får börja gråta, vad de gör. Se och se och se – men inte gråta.

15

Hilma trodde för ett ögonblick, att pojken skulle åka sitt hem förbi. Men nu bromsar han till och blir stående grensle över cykeln i backen ner till Handlarns butik, om han nu har nåt ärende dit före stängningsdags, vad nu det kan va... Ja, det är klart han är arg på mig, det är klart att jag måste umgälla vad den där slynan har ställt till med. Jag visste från början att det skulle gå på tok, och det kan väl inte Erik förlåta mig... Och nu står han där och grunnar, och inte heller i dag lär han väl ge sig tid för de sina...

Nej, han åtrar sig och kommer hit i alla fall, lutar cykeln mot grindstolpen, sparkar undan en snäcka från trädgårdsgången och schavar hitåt med händerna i byxfickorna. Hilma skyndar bort från fönstret för att gripa till en syssla och ställa sig ovetande när han kommer in...

– Är det du som är ute och går? Har du ätit?

– Jo.

– Jag trodde ni höll på med skörden som bäst?

– Vi har fått in det mesta av vetet. Och Lille-Lars skulle till Järna i affärer.

Hilma knackar på fönsterrutan så att yxhuggen tystnar därute. Rävfarmarn får kärkommen anledning att upphöra med sitt tröstlösa evighetsarbete: att bygga en äggformad kupol av vedpinnar, petgöra som passar sig för en arbetslös och utblottad man. Han stiger in och lägger kepsen ifrån sig vid dörrtröskeln, en undergiven gubbe.

– Sätt inte i gång och koka kaffe för min skull, säger Erik retligt. Så god råd har ni väl inte nuförtiden?

– Jag skulle ändå värma på en tår åt pappa, säger Hilma och sänder sonen en undergiven blick. Nog kan du väl sitta ner och hålla sällskap?

Modern är den som älskar mest, och är därför hjälplöst utelämnad åt sonens otålighet och ilska. Det är sorgen och bitterheten över det här med Märta som han låter sin mor umgälla. Hilma finner det helt i sin ordning. Ödmjukt böjer hon sig under sonens vrede.

– Vad pengar anbelangar har jag inget att va av med, säger han bryskt. Det är knappt jag reder mig själv. Ni får väl försöka med det kommunala, om så skulle va ...

– Det blir väl alltid nån råd, säger Hilma undergivet. Nu vart det ju så beviljat, så vi kunde få en inteckning till i huset, så nu är vi ju fria för Handlarn, i vicket fall ... Och i morrn får ju pappa börja på kalkbruket ...

– I morrn redan?

– Jo, säger Rävfarmarn, det var avtalat som till första september ...

– Men hur ska det kunna gå? Här har du gått och vant dig vid att rå dig själv, och så ska du börja ta order av en förman?

– Nikodemus är det väl inget fel på, det är ju en hygglig karl?

– Asch, vad har så han och säga till om ... Förresten lär du inte få gå där så länge, Handlarn och Brunzén vill ju sätta i gång och avskeda folk . . .

– Vad ska en göra då? En rår sig inte själv . . .

Nej, han rår sig inte själv längre, före detta pälsdjursuppfödaren Sten Gustafsson, han som inte längre har så mycket som en bondkanin att uppföda, redan en hjälplös man och dömd till Gubbabänken . . .

Hilma makar inbjudande fram den fyllda kaffekoppen, men Erik försmår den enkla försoningsgåvan.

– Ett jävla tjyvsamhälle är vad det är, säger han surmulet.

– Ja, det är inte så gott och veta det, säger Rävfarmarn med sin nya, undergivna röst. Och prästens pojke, som gick sta och tog värvning? Ja, du käre värld . . . Han ska visst bli offser?

– Det skiter väl jag i vad han ska bli, det har väl inte jag med och göra . . . Ett tjyvsamhälle är det lik förbannat.

– Nå, vad tjänar det så till att en lägger sig i . . .

– Drick mens det är varmt, åtminstone, försöker Hilma släta över och försona. Men Rävfarmarn har hunnit reta upp sig en smula över sonens bryska fasoner.

– Och Svenssons flicka, hon ska visst börja tjäna hos Brunzén, säger han strävt.

En tror att det ska gå över och bli bättre. Men det går inte över och det blir inte bättre . . . Erik reser sig häftigt, och det utslagna kaffet tecknar en brun slinga på vaxduken. Hilma ger ifrån sig ett kvidande och slår händerna för munnen.

– Det är en förbannad lögn, viskar han, och huvudet rister på honom så det gör ont att se. Och det liknar ju fan att ni ska gå omkring och sprida ut sån där dynga . . .

Hon ska tjäna hembiträde i Stockholm, och det där med Brunzén är ju bara som folk säger, alltid ska det pratas skit om Märta ... Vad angår det er, förresten ... Vad har ni med Märta och göra?

– Det är ju bara som folk pratar, säger Hilma när hon går över vaxduken med disktrasan, för att gnida bort den bruna fläcken, göra sagt osagt, gjort ogjort ...

– Förresten åker man väl snart in i lumpen, säger Erik när han söker sig över köksgolvet mot dörrn. Eller så blir det krig, och så kommer en åtminstone bort från den här hålan, och så kan allting göra detsamma ...

Borta var han.

– Tänk om du åtminstone kunde hålla truten i styr, säger Hilma.

– Det är väl sak samma vad en säger, försvarar sig Rävfarmarn hopplöst. Pojkstackarn är ju öm som en böld, han tar åt sig vad en sen säger ...

Erik blir stående framför anslagstavlan på Handlarns butik, mest för att hämta andan och lugna sig lite. I Föreningshuset spelas filmen ”Gläd dig i din ungdom”. I Trosa Societetshus gives soaré med sång, recitation och dans. Obs! sista gången för året! Jaså, det var i söndags ... Och logdans i Löt med Hot Lips Larsson ... Obs! Humoristiskt framträdande i pausen ... Jag har knappt dansat med henne en enda gång, vågade sällan bjuda upp nån annan än Sonja. Och flickor är det gott om, och ändå är det bara en jag vill ha. Det är som en hade en sjuka. Och går som ett åtlöje all sin tid. En rår sig inte själv.

Han går in i butiken för att söka audiens hos Handlarn, alla goda gåvors givare. En rår sig inte själv ... Och snart är det väl krig, och då kan en ju lika gärna gå på fyllan ...

– Vad fan går det åt dig, pojk, tror du jag har öppnat pantbank, säger Handlarn och spanar med sammandragna ögonbryn efter kontrollstämplar. Och nog måtte det va illa ställt här i Hedeby, när folk springer till mig och vill kursa bort sina vigselringar? Va? Ja, inte vet jag! Men Handlarn låter nästan fryntlig. Det övermätta lejonet kan kosta på sig en vänlighet, när åkersorken irrat sig in i hans håla.

– Det är arton karats guld, står Erik på sig.

– Jovars, men det är ju inskription i ringen, den blir man inte av med så lätt.

– Kan jag inte få va betrodd, om det skulle kosta nåt mera? Det är ju första gången jag handlar ...

– Nåja, säger Handlarn, för den här gången då. Men nästa gång ska det vara kontanta pengar.

Och Handlarn försvinner bak det gröna draperiet, som döljer skattkammaren, åter rikligen försedd efter Pärsys besök, och den här kommersen driver han ju mest av människovänlighet och pietet, numera. Han träder ut och överlämnar en halvliter i brunt omslagspapper, men hans nedlåtande leende stelnar, när telefonen skriker till på skrivbordet.

– Hallå, ryter Handlarn i den svarta bakelitluren. Ja, visst är det jag ... Vasa? Har han? Nå, det var fanimej på tiden ... Ett ögonblick bara ...

Han ser med rynkade ögonbryn efter Erik, som redan är på väg ut ur kontoret, i en oklar känsla att vara förödmjukad och lurad, och ändå är det väl äkta vara han bär med sig i det allbekanta bruna paketet, som drar åt sig Rulles ironiska blick och sorgsna och undrande miner från Gubbabänken. Han stuvar sin skatt i cykelväskan och spänner åt remmarna, gläd dig i din ungdom, sista gången för året, humoristiskt framträdande, och flickor är det gott om...

Hilma står väl som vanligt och gluttar bak gardinen, men nu finner han det inte angeläget att besöka föräldrarna, var och en har ju nog av sitt. Han leder cykeln i uppförsbacken, så kraftlös med ens, och först på landsvägen börjar han åka, förbi Svenskamerikanarns Mölna på vänster hand och de vida vetefälten till höger. Stubbåkrarna har den trötta och uppgivet trista uppsyn som utmärker nyligen skördad åkermark, undandragen människors omtanke, i den styva lerjordens korta vilostund mellan två kretslopp av fruktsamhet, med det nyvuxna krattet som en grön mist under den döda, grå stubben. Från Gravens backe kommer ett kyligt vinddrag, som ett förebud om novembers andedräkt, och i den granmörka backens skugga kurar egnahemmen ihop sig, förskrämda: Sörmland i höstens kalla ljus av eftertanke, efter en slösande sommar, en bild av övergiven ensamhet och trötthet...

Och Märta ska väl till Stockholm mest vilken dag som helst, verkar det som. Jaja. Och där till höger går avtagsvägen upp till Näsby, pliktens och vardagens lergrå uppförsbacke. Att åka den vägen förbi och fortsätta ner till stationssamhället och en hopplös väntan framför Ohlsons Hov-Conditori, ja, det vore ju så vettlöst som tänkas kan... Men Erik har sen länge vant sig av med att vara vettig, och Lille-Lars är i Järna, och Elon kan väl ta över det lilla som ska göras, och matmodern Olga brukar ju aldrig skvallra i onödan för sin make, hon är beskedlig på det viset, som fruntimmer kan vara ibland... Eller är dom? Fruntimmer går mest hemma, medan karlarna måste ut och slåss om matbiten, ja, det går ju för sig att va beskedlig, så länge en har det så beviljat... Men Märta fick tidigt ge sig ut ensammen och slåss, och med hennes beskedlighet vart det ju som det kunde... Jaja.

Nej, Erik väljer inte pliktens uppförsbacke till Näsby, han fortsätter rakt fram, ned till samhället och schavotteringen framför konditoriet. Vettlöst, ja, visst fan är det vettlöst, en har väl inte kärleken till bättre pris, som det verkar...

O, du hopplösa, förnedrande kärlek, dvärgbjörk i bergets skreva, du som lever av intet och suger din näring ur hårdhet och köld, varför växer du så skack och förkrympt, på trots av all värdighet och förnuft, varför fäller du inte dina blad och böjer dig för höstens bud...

Men i dag var det bestämt, att Erik aldrig skulle nå sin förnedrings mål. Åter grenar vägen ut sig i en klyka: till höger går backen ner till kvarnen, till vänster sträcker körvägen ut bortåt Herrsättra. I vägskälet har samlats en hoper hedebybor, i spänd och tigande förbidan. Här är Elof i Alby med kvarnskjuts, ett enbetslass gröpe och rågsikt, här står Mjölnarn med armarna i kors över sitt vitpudrade förkläde, här finns småpojkarnas hela församling, ty i dag har de prövat fiskelyckan i kvarndammen, och Sven i Skååäng bär fyra stora abborrar på klyka.

Alla står de tigande och spejar mot norr, där vägen försvinner i skogen bortåt Herrsättra, i tigande väntan – på vad?

Erik vänder sig till Mjölnarn, och får två gånger upprepa sin fråga i hans lomhörda öra – vad är det som står på? Och Mjölnarn förklarar med sin högljutt skrällande stämma: di har anammat den lymmeln Pärsy! Jo, minsann, Pärsy är häktad och uppbevarad i Lagens händer, och nu kan en vänta sig Länsmans bil med rymlingen i bojor mest vilket ögonblick som helst. Ja, Tysta Mari i telefonväxeln har redan börjat sprida den stora nyheten, att Fjärsman och Länsman sent omsider börjat göra skäl för sina grova löner ...

Vasa? Hur det gick till? Ja, ambulansen gick här förbi bara en kvart sen. Det var Emma i Eneby han gav sig på, Emma, det hjälplösa kräket, han trodde väl hon hade några slantar undanlagda ... Men gumman lever ensam, virrig och i djupaste elände och betryck, alltsen sonen, Tok-Harry, gick all världens väg ... Och Pärsy var väl full och ondsint och ville inte låta nöja sig med de fattiga slantar av folkpensionen han kunde få under naglarna ... Och så gav han sig till att misshandla gumman, nåt så obarmhärtigt ... Ovisst är väl om hon går igenom, di kom med ambulansen för och hämta henne till sjukstugan, det var väl en kvart sen, sisådär ... Guvet hur det hade gått, om inte Fagerhultarn hade haft sina vägar förbi, så han fick höra skriken och kom sig för och larma polis ... Och Pärsy kunde ju inte komma undan, så full som han var ... Jojomen. Så vart det slut på den lilla utflykten ...

– Om bara en kunde be han hålla käft, säger Gert Svensson, blek under fräknarna av sin djupa spänning. Gert vägrar att tro på Mjölnarns berättelse, och pojkarna är över huvud tveksamma – det vet en ju bara alltför väl hur vuxna brukar handskas med sanningen, de kan bara inte skilja på sanning och lögn ... Men svaret på alla deras frågor är redan på väg, ty där borta kommer nu Länsmans svarta bil ur skogen, styr ned mot landsvägen med god fart, och så ... Nej, nu stannar den till och kör in mot dikeskanten här vid vägskälet ... Förklaringen är enkel nog: Pärsy har sagt sig spyfärdig, och Länsman vill rasta honom en stund för att skona bilklädseln och uniformen. Bildörren går upp och där står han nu, vaktad av Fjärsman, Pärsy, friheten förkroppsligad på jorden ...

Uniformen är skorvigt fläckad i brunt och gult, ärmar och ben är veckiga som dragspelsbälgar. Han är skodd bara på vänster fot, på den högra bär han en säckvävstrasa. Han är skäggig och svullen i ansiktet, ögonen är oseende och döda. Fjärsman står till reds, beskäftig och högdragen, med batongen utsträckt i handen, som ville han få Pärsy att hoppa jämfota över tillhygget.

Pojkarna håller andan och väntar att något ska ske. Att ett under ska inträffa. Att Pärsy ska förvandlas inför deras ögon.

Axel Weber känner hur Gert Svensson trevar efter honom och fattar hans hand i ett hårt grepp. Axel och Gert har kanske mer än de andra väntat att ett underverk skulle ske, att Pärsy skulle vara den de hoppades och trodde.

Den fågelfrie vacklar men tycks i stånd att bekämpa sina kväljningar. Så famlar han efter gylfen, får fram ballen och ställer sig att ala som en hingst. Fjärsman ryter och slår honom i korsryggen. Pärsy rycker till av en frossbrytning, pissar färdigt och svankar för att dra in den lem, som skänkt honom aktning och människovärde bland storpojkarna i Hedeby. Många veckors brännvinsdiet har gjort honom svullen och uttryckslös som deg i ansiktet.

Fjärsman manar in honom på plats och bilen fortsätter som förut.

Det utbryter en ivrig och förvirrad diskussion mellan Mjölnarn och Elof i Alby, en sån helvetes huligan, som ger sig på en gammal hjälplös gumma, mycket kan förstås och förlåtas, men den som ger sig till den sortens illdåd har då ställt sig utanför all mänsklig gemenskap, och ju förr en sån där fan kommer på fästning, dess bättre . . .

Samtalet är ivrigt och lite goddag-yxskaft, ty den lomhörde Mjölnarn faller Elof i talet och skriker gällt med sin onyanserade röst. En sak är emellertid säker och över all fråga ställd: det finns gränser för vad ett samhälle kan fördraga. Den gränsen har Pärsy längesedan överskridit.

Sven i Skååäng har slängt sin abborrklyka i diket. Fiskarnas klara färgstrimmor i grönt och rött har överdragits med en grå hinna av landsvägsdamm. Pojkarna står förstenade, hänger hjälplöst med armarna, finner inget att säga . . .

Ge sig på Emma i Eneby, en virrig och hjälplös gammal käring . . .

Gert kastar en förtvivlat spörjande blick på Axel Weber, men den boksynte vänder bort blicken, har ingen förklaring att ge, inte ett ord till försvar . . . Och ändå har väl ingen hetare än dessa två kunnat önska, att flykten från Hedeby vore möjlig, att frihetens rike kunde byggas, inte i år och kanske inte nästa, men nån gång . . . Men detta fall är bara alltför klart: Pärsy var ingen frihetens riddare, han var en fyllhund och ett driftekräk på skogen, en niding som stal från Eskil i Hunga och misshandlade Emma i Eneby ...

Utan vidare ord eller avsked tar pojkarna sitt parti och försvinner var och en till sitt. I kväll ska de undergivet gå under oket för att bära ved och vatten, fodra höns och ströa under svinen. I kväll ska inga barska fadersbasar och gälla modersröster förgäves kalla pojkarna till vardagens trista plikter.

Men Erik Gustafsson vet inte riktigt vad han ska tycka ...

Fy fan, som han såg ut, och ställa sig och pissa som ett själlöst kreatur mitt framför ögona på folk ... Och småstölder och misshandel av hjälplösa och supa sig maktlös av brännvin ... Och som han såg ut ...

Men är det inte så jag själv ser ut inför Hedebys blickar!

Vanmäktig, oförnuftig, hjälplöst underkuvad en annans vilja, skamligen blottad inför medmänniskors ömkan eller förakt ...

Nej, det blir ingenting av med att åka ner till samhället i afton. Han vänder cykeln och trampar hem till Näsby, upp för vardagens lergrå backe, hem för att söka en tillflykt hos Elon på drängkammarn. Elon är åtminstone kamrat.

Han går genom stallet med halvlitern under armen och ser med olust på den sprittande Lady Cecil: förbannade lyxmärr, inte har en nån nytta av henne, varken som livdjur eller dragare, och att en karl som Lille-Lars vill hållas med och kela med en sån, som det inte fanns viktigare saker och göra ...

Fätättingarna fladdrar upp, virvlar runt under hysteriskt kvitter och kommer slutligen till ro på takbjälkarna, en oroligt pulserande dammgrå massa mellan söndriga spindelvävar.

Han kliver in i drängkammarn med rungande steg, och Elon kränger sig nästan ur sängen i ett skamset försök att hysta iväg den grårandiga lagårdskatten och samtidigt gömma en karamellstrut: att vara smeksam och begiven på sötsaker är ju ytterligt omanligt och förnedrande. Lyckligtvis är Elon också manligt begiven på brännvin, och han gapar av glad förvåning, när Erik skalar av omslagspappret och avslöjar en halvliter, flickaktigt blinkande med silverkapsylen.

– Brännvin? Har du varit hos Handlarn?

– Jojomen. Tycker du inte vi behöver en jävel?

– Det gör en väl för det mesta, men du brukar ju inte . . .

– Nä. Men i dag var det lite speciellt.

– Jo, det kan ju va . . . Nå, vad jag skulle säga . . . Bond var inne för en stund sen och frågte efter dig.

– Aj, fan. Skulle inte han till Järna?

– Han kom förr än tänkt var, lagom till fyratåget, du vet . . .

– Jaså, fyratåget, ja, bond börjar bli gammal . . . Nå, var han förbannad?

– Inte just. Se till så han kommer i säng, sa han, för i morrn blir det drygt . . .

– Drygt och drygt, det är väl inte så mycket kvar och köra in av vetet . . . Jo, vad jag skulle säga . . . Fan, gosse, nu ska du få höra . . . Kan du gissa hur det gick för Pärsy?

Men Elon rycker på axlarna och är märkvärdigt likgiltig för Eriks berättelse. Vad annat kunde en ha väntat sig? Att en kan bli vild och galen och förbannad som Pärsy, det är ju lätt och förstå, på sätt och vis. Men ska det bli en ändring av, nån gång, då lär en inte va betjänt av såna stolligheter som Pärsy haft för sig ... Nej, då ska det andra doningar till ...

Och tiden går, och snart sitter de försonade av brännvinet och ser med oseende ögon över obäddade sängar, kringslängda klädesplagg, ett smutsrandigt handfat, säckvävstrasan i fönstret, radion som envist tiger om stora händelser ute i världen, den sköna Deanna Durbin och hunden som inte kan tala. Mycket är osäkert och svårt, bara brännvinet är troget och tryggt. Så länge det nu varar.

Men Elon känner en tveksam olust inför Eriks beteende: det är ju inte riktigt likt honom att gå på fyllan mitt i veckan ...

– Och du har börjat köpa hos Handlarn, säger han undersökande.

– Vad fan vill du man ska göra?

– Nej, det kan ju va ... Och det är klart det kan bli lite mycket ibland ...

– Ja, fyfan vad det kan ... Som nu det här att Oscar ger sig till offser ...

– Ja, vad är det för konstigt med det?

– Det var väl inte precis vad en kunde ha väntat sig, när han sprang här som bäst och predikade, så fradgan stog om käften på han ...

– Nå, vad kunde en ha väntat sig då? Jag tycker inte det är så konstigt, jag. Dom kommer ner hit till oss och fjädrar sig och är söta i käften, så länge det är nåt dom vill ha, men när det drar ihop sig till bråk... Då ser en inte röken av dom. Nej, du, är det nåt vi vill ha gjort nån gång, på riktigt, då får vi nog fan göra det själva!

– Jo, det kanske du har rätt i... Det får vi nog göra själva... Men är det inte fan ändå... Jag menar... Att det ska finnas så mycket... Att det ska finnas så mycket en inte kan göra nåt åt!

– Jaså, det där, mumlade Elon, och det ryckte oroligt i hans godmodiga ansikte. Ja, det är klart, det kan en ju förstå, att det kan bli lite drygt ibland, men det lär väl gå över med tiden, ska du se...

– Ja, det sägs ju att det ska göra det, att det ska gå över med tiden, vad vet jag... Och flickor finns det gott om, vad en nu kan ha för tröst av det... Jag vet inte! Men i vicket fall borde vi väl se till och röja opp lite grann omkring oss...

Erik reser sig och vankar oroligt över golvet, oviss var han ska börja. I morgon är en ny dag, och inget är någonsin omöjligt, bara en håller ihop, men var i all världen ska en sätta i gång? Han stannar slutligen vid fönstret och river ut säckvävstrasan. Det murkna tyget faller i trasor under hans händer.

– Jo, det är klart, säger Elon och vrider sig olustigt i sängen, det är klart vi borde se till och sätta in en ny ruta, innan det blir höst på riktigt...

– Jo, du, det är mycket vi borde se till och göra... Om bara vi hade nåt och stoppa med, så länge...

Han lyfter finkostymen från spiken, och Elon sätter sig upp – vad nu då? Ska han ge sig ner till konditorit, lik förbannat? Men Erik står bara och ser på plagget, illa medfaret av en sommars fåfängt spring, ser på de fransiga slagen och på kavajens armbågar, trådnötta in till det rutiga fodret: inget att göra, inget att spara på, den tiden är förbi ... Han river upp kavajen längs ryggsömmen och pular in tygstyckena i hålet. En tom ärm hänger hjälplöst ner mot golvet.

– Det var väl synd på rocken, säger Elon prövande.

– Skit samma, den var ju slut, den gör jag inte med längre ... Förresten är det väl lika bra vi kojar, det är en dag i morrn också, och vi lär nog få mycket och göra, som det verkar ...

Ja, det är en dag i morgon också, men ändå ligger de länge vakna och talar om sina framtidsplaner, om allt som borde och kunde göras nån gång, om bara det vill sig, om bara en håller ihop ...

När de äntligen somnar har det redan hunnit ljusna till en ny dag, den första september 1939.

16

Om frihet och förändring drömmer somliga, om häftiga välvningar och revolutioner, om nya himlar och en ny jord – nån stans, nån gång. Men för Avskummet ter sig lyckan som en evig oföränderlighet, en ändlös sommardag i jättelönnens skugga, under goda, lärorika samtal och obegränsad, kostnadsfri utskänkning.

Men inget förblir sig likt under himlens kupa. Världens affärer kan ofta ge anledning till givande samtal, ty ingen vet bättre än Avskummet, hur staternas skepp borde navigeras, om bara rodren låg i rätta händer. Men stridslarmet där nere i Europa har vuxit sig alltför dånande högt för att kommenteras med det sanna filosofiska lugnet, och skrämmande möjligheter öppnar sig nu för Avskummet.

Vem vet om inte Polens öde också kunde övergå vårt stilla Hedeby?

Vem vet om inte bruna eller röda krigarhordar kan söka sig hit för att ogemytligt rycka bägaren från Avskummets törstande läppar?

Och tänk om en måste rycka in i lumpen?

Föränderligt och vanskligt ter sig livet under septemberhimlens kyliga, emaljblå kupa, i dag då uteserveringen håller öppet för sista gången i år, och höstens första gula löv singlar ner ur lönnens krona för att landa på

Avskummets grubbeltyngda hjässor.

Men även en av de goda kumpanerna har slitits loss ur gemenskapens krona av denna kalla föränderlighetens vind – Stora Småland är inte längre ibland dem. Här sitter nu bara Svensson och Olle i Vreten, ty Ville Vingåker är mera närvarande i köttet än i anden, svårt berusad som han är och darrande av oro som en grisfot i gelé. Samtalet har rört sig om f.d. fågelfrie Pärsy, ett ämne som vederbörligen rensats, filéats och skurits i stycken. Samtalet har gjort Ville om möjligt ännu mera skälvande och blek. Han är uppenbarligen lättad när debatten övergår till Stora Smålands mystiska försvinnande.

Att Småland skulle vara i krigstjänst uppbådad verkar mindre sannolikt, ett sådant öde skulle han själv ha kommenterat, förbannat och fuktat med grundliga avskedsrus. Vad återstår? Skulle han ha rest bort för och söka jobb?

Hypotesen avfärdas med nedlåtande löje.

Vad är det då man vet med bestämdhet om de dunkla omständigheterna kring Stora Smålands avresa? I korthet följande: för fyra dar sen var Stora Småland synlig i Stadshotellets uteservering tillsammans med disponenten Sill-Selim Zetterlind, av alla människor. Småland läppjade modstulet på sin förfriskning, varvid Sill-Selim, framåtlutad över bordet, oavbrutet talade och persvaderade, medan han punkterade sin framställning med slag av plånboken i bordsskivan. Småland skall ha verkat motsträvig och nedslagen, enligt åsyna vittnens enstämmiga uppgifter. Vad som avhandlades är emellertid inte bekant.

Något senare samma dag skall Småland och Sill-Selim

ha inträtt i Lindgréns Eftr., manufaktur och konfektion. Småland riggades upp i nya kläder, från topp till tå. Omkostnaderna bestreds av Sill-Selim, prompt och per extra kontant.

Ännu senare samma dag uppträdde Småland och Sill-Selim vid Hedeby järnvägsstation. Småland var vid detta tillfälle utrustad med resväska av brun, pressad papp, och syntes försjunken i ett tillstånd av fylla och slö resignation. Sill-Selim inhandlade en enkel biljett till Stockholm; dock var det Småland som äntrade tåget. Sen dess har han inte varit synlig.

Och någon förklaring står inte att få.

Möjligen skall enligt naturens ordning en förklaring yppa sig med tiden, men i dagens läge måste frågan bordläggas.

Löven gulnar och förs bort av föränderlighetens kalla vind, hösten kastar sin slagskugga över Avskummets trygga värld.

Ja, hösten har kommit till Hedeby, och stockholmarna har länge sedan rest hem från sina sommarnöjen. Sist av alla for Brunzén, ståtligt hemforslad av privatchaufför i sin ägandes Rolls Royce, ty allsköns affärsbestyr med kalkbruken höll honom kvar längre än avsett. Flickorna hade redan fraktats hem på tåg för att avlösa sina sommarvikarier i horhuset på Kvarngatan. Men Brunzéns trupper var långtifrån fulltaliga. Lilla Linda fick i mitten av augusti en attack av delirium tremens, som inte alls var trevlig att bevittna. Hon lades in på sjukstugan i Trosa, som brukligt är, och var därmed inte längre till förtret. Åkomman sökte henne på det viset, att hon trodde sig förpassad till helvetet, och alla manspersoner såg hon som djävlar och doktor Lundewall som Satan själv. Och det var väl ändå att ta i. Lundewall är ju en figur för sig, men annars lär det finnas många kvinnor, som med glädje tar emot en älskad man i famnen. Men den upplevelsen av manskönet hade Linda aldrig fått pröva. I stället hade hon måst dricka allt hårdare för att härda ut i sitt yrke, ända tills dieten lade henne på rygg med skrumplever och dille.

Nu är väl Brunzén till all lycka en alltför betydande person för att chikaneras av en så obetydlig händelse. Desslikes bör vi väl alla besinna vår skyldighet, att visa en smula fördragsamhet och tolerans.

– Den som är utan skuld kaste första stenen, säger kyrkoherde Ahlenius, som är varmt fästad vid sitt nya antependium.

Vi lever ju ändå i ett fritt samhälle?

Och flickor finns det gott om, dessbättre.

Apropå flickor, minns ni Dorotea, hon som bara försvann ur Brunzéns följe för nån vecka sen? Dorotea har kommit till rätta nu. Eskil i Hunga hittade henne som illa ankommen strandvaskare i Gieddeholmsviken. Och nu var hon ju inte längre så vacker att se. Otjänlig för sitt yrke låg hon helt stilla där och ruttnade i vassen.

Vad som drog Dorotea i sjön är det ingen som vet. Kanske en trolös hjärtanskär, som fått henne till stolliga drömmar om hus och hem och tomtebolycka. Kanske en unge, som hastigt strök med under nån änglamakerskas förfarna händer. Kanske bara en hastigt påkommen leda, när sommarlovet tröt på sista tampen, och det tunga nattarbetet i Stockholm åter ryckte närmare. Ingen vet det enkla svaret på Doroteas enkla gåta – borta är hon likafullt. Men flickor finns det gott om, som bekant.

Avskummet talar med olust om Linda och Dorotea. Horor ska vara roliga och beskedliga och glada. Horor ska en kunna berätta roligheter om vid ölet. Men Linda och Dorotea går det rakt inte att berätta några roligheter om. Det är rakt inte sånt en kan läsa i bok eller får höra berättas om horor. Det kan inte Avskummet förlåta Dorotea och Linda.

Inget är sig likt i denna föränderliga värld.

Horor är inte roliga längre.

Och Stora Småland bara försvinner.

Löven gulnar och förs bort av föränderlighetens kalla vind, hösten kastar sin slagskugga över Avskummets trygga värld.

Men ett är sig ändå likt, det är fyratåget söderifrån, som stannar här i Hedeby på sin väg mot Stockholm. Och lika säkert som tåget kommer Lille-Lars i Näsby stövlande ner för att slå sina lovar på perrongen, som vore han en sysslolös och arbetsovillig, som inte hade viktigare ting att företa sig nu i skörden. Det har kommit över honom detta, nu på senare tid, att han prompt måste göra sig ärende ner till samhället inemot fyratiden. Han måste in på sparbanksfilialen för att ordna med ett papper. Han måste in på Strandvalls Eftr. och köpa en rulle tjärpapp till hönshusets tak. Han måste fråga in på godsmagasinet, om inte den nya kniven till självbindarn möjligen har kommit. Och mens en ändå är nere kan en ju ta sig en titt och se om det inte är några bekanta med tåget, mot bättre vetande, gunås, men det skadar ju aldrig att se efter? Det bättre vetandet säger, att dottersonen inte ska komma på besök i år, att han längesedan lämnat sitt dagdrivarliv på västkusten för att återvända till läroverket i Stockholm och pojkrummet i kapten Ebermans våning på Östermalm. Men detta bättre vetande kan inte lugna den oro som allt starkare hemsöker Lille-Lars i Näsby, den oro som säger, att åren går och döden rycker närmare, och att bondens enda evighetshopp har gäckats. Olga har sin tro för sig, men för Lille-Lars finns bara tron på släktets evighet, hoppet att gården ska stanna inom familjen. Det är bondens evighetstro, som har bevarat honom mot skräcken för döden, ty den enskilde är likgiltig och förgänglig, och hans död lika självklar som årstidernas gång mot vinter, så länge släkten lever och jorden består. Men för Lille-Lars har döden med ens blivit en skrämmande verklighet, sedan han insett att han är den sista länken i släktens kedja, att gården ska gå ur familjen, att Näsbys styva lera ska bära sina skördar för oskylda. Ur den insikten spirar en oro, som dag efter dag driver honom till Hedeby järnvägsstation.

Åter och åter river han nickelklockan ur västfickan för att kontrollera tidens gång, lyssnar på urverket, skakar på huvudet och fortsätter sin ändlösa vandring som förut. Det är dödens och ålderdomens svarta tecken han har läst på den vita urtavlan.

Att bond på Näsby går förbi brukar vara signalen för Avskummet, att ta paus i eftermiddagens förhandlingar och masa sig ner till stationen för att gapa på de resande. Men i dag är det som om ingenting ville följa trygga och invanda seder. Svensson avböjer, kortfattat och utan förklaring. I dag föredrar han att bli sittande ensam vid sin pilsner. I dag är det bara Olle i Vreten och den knäsvage Ville som söker sig ner till stationen för att gapa på fyratåget.

De blir stående med ryggen mot entrén till Kungliga Väntsalen, två fågelskrämmor under det väldiga riksvapnet i förgyllt gjutjärn, filosofiska betraktare av världens ävlan och de väntande resenärerna på perrongen.

Där står Sill-Selim med sin dotter Nora, som ska resa bort en tid för att vårda sin vacklande hälsa, och att något är på tok kan envar se med egna ögon. Nora är helt förgråten, svullen och fläckig i ansiktet, och hela hennes storvuxna gestalt uttrycker hopplös förstämning. Men Sill-Selims godmodiga ansikte är veckat i ett ovanligt uttryck av trumpen bestämdhet. Enligt obekräftade uppgifter har han inhandlat en enkel och en returbiljett till Mariefred. Jämte extra resgodstillägg.

Och där står Signe med sin dotter Märta, som lär ha fått kondischon som piga däruppe i huvudstaden. Signe står hopsjunken med händerna under förklädet och har tydligen inget att säga sin dotter. Och Märta har redan vänt sig bort från Hedeby: blek och rakryggad står hon där och spejar otåligt efter tåget, som ska föra henne till frihetens stad. Men hon har tydligen inte ett ord till övers för sin mor. Mellan Märta och Signe är väl allting sagt som sägas kan.

Nu skyndar stinsen ut för att veva ner semaforen, och i kurvan bortåt Västerljung hörs den hesa signalen – ”Tåg kommer!”

Det är ett ovanligt långt tåg i dag, med två extravagnar för militärer, på väg att inställa sig under fanorna, hörsamma fosterlandets kallelse i denna ofärdstid. Under extravagnarnas fönster löper avlånga, gula fläckar som av utspilld ärtsoppa. Fosterlandsförsvararna har firat inkallelsen enligt urgammal svenskmannased. Vår beredskap är god.

Olle i Vreten och Ville Vingåker ser på de inkallades rödmosiga eller grönbleka ansikten med blandade känslor av ömkan och avund.

En av de rusiga krigsmännen sticker ut sitt svullna ansikte och ropar hest efter Märta och Nora: hitåt horor! Opp med muttan, bara!

Märta äntrar en tredjeklassvagn utan ett ord till avsked. Signe förblir där hon är, kutig och orörlig som förut.

Sill-Selim drar handgripligt in sin dotter i en andraklasskupé. Stinsen gör honnör och slår igen den skrällande grinden efter dem.

Och tåget sätter sig långsamt i rörelse.

Olle och Ville Vingåker larvar tillbaka till hotellets uteservering, tyngda av mödosamt grubbel. Egentligen skulle det åligga dem, att berätta för Svensson om tågets sensationer, om resenärernas namn och möjliga ärenden, och Noras ovanliga utflykt vore ju värd en tankfull kommentar och en skarpsinnig gissning eller två ... Men vad ska en säga om Märta? Eller Signe? Och Svensson som bara vart sittande där han satt? Aj, fan ... Här gäller det nog att hålla tungan rätt i mun ...

Lönnlöven gulnar och förs bort av en kylig vind, hösten kastar sin slagskugga över Avskummets trygga värld ...

Lille-Lars har larvat omkring längst bort på perrongen, av och an som en tungfotad björn i sina grova läderstövlar. Nu närmar han sig Signe med dröjande steg och blir stående med ett skamset leende, som stelnar till grimas ...

– Vad jag nu skulle säga ... Jag kunde bju på skjuts, kanske? Jag har trillan stående borta hos Strandvalls ...

– Det säger en väl inte nej till, svarar Signe, uppvaknande ur sina djupa tankar. Vad går det åt Lille-Lars i dag, han brukar då inte vara så beskedlig mot oss, patrasket i Fridebo bort på malmen ...

– Och barna växer opp och ska ut i världen, säger Lille-Lars och skrattar sitt gälla, ovanliga skratt, när ardennern faller i klumpig skritt och trillan rullar undan i riktning mot vägskälet vid kvarnen. Ja, barna växer opp och blir stora ...

– Märta ska bli hembiträde, värjer sig Signe. Folk går och inbillar sig så mycket strunt ...

– Nå, jag hade väl inte tänkt mig nåt annat, precis. Fast nog är det synd att ungdomen ska åka hemifrån, och vad arbete anbelangar, kunde hon ha fått knog hemma hos mig, Olga börjar ju bli lite till åren ...

– Ja, men nu ville hon ju prompt i väg till Stockholm, och det var inte mycket jag kunde göra åt det ...

– Nej, vi gamla har ingen talan längre, säger Lille-Lars och skrattar sitt gälla skratt.

Vi? Säger han vi om oss två? Det var då inte likt han ...

– Jag kan kliva av här och gå sista biten, jag ska till mor min ...

– Det är väl inte värre med det, än att jag kan köra dig sista biten fram. Och vill du komma och hjälpa till med potatisen när den tiden är, så säger jag inte nej ...

Signe mumlar några ord till tack när hon kliver av

trillan vid Karolinas stuga. Värst vad han har vurti beskedlig med ens? Och Lille-Lars skrattar nervöst och kliar sig under kepsen, innan han vänder trillan och far hem till Näsby, en gård utan arvinge och framtid.

*

Karolina märker inte ens att Signe kommer in. Hon är redan vänd bort från de sina, vänd mot ett möte och en prövning, hon ensam måste undergå. Hon sitter med bröstet pressat mot köksbordets kant och försöker bekämpa sin stentunga trötthet: för varje andetag, för varje slag av pulsen mörknar omvärlden och krymper till en prick, vidgas, krymper, vidgas... Och hon strider med en efterhängsen idé, som åter och åter tränger sig på. Hon tror att Abraham är ute i markerna på arbete, och hon ängslas över att han aldrig vill komma hem, hon borde till varje pris ge sig ut och leta efter honom... Kanske har han huggit sig illa, kanske ligger han hjälplös under ett redskap, som gått omstyr, tänk om han kallar på mig, tänk om han behöver min hjälp...

Men du vet ju mycket väl att Abraham är död, Karolina...

Jo, det kan ju vara, men ändå hör jag så tydligt hur han kallar på mig och ropar mitt namn...

– Sitter du och drömmer, mamma? Hör du inte vad jag säger?

– Är det du, Signe, mumlar Karolina och famlar med blicken över denna gestalt, som släcks och tänds, tonar fram och försvinner för hennes skymmande blick. Du såg inte till pappa där ute på gården?

– Men mamma... Hur är det med dig, egentligen?

– Va? Nej, det är ingenting... Jag var nere hos Handlarn... Jag vart så trött, bara...

Så blek hon är, så urholkat blek som ett saltblock på sleke, så genomskinlig och utmärglad, att det gör ont att se... Tänk om det lider med henne? Nej, det får inte vara sant, jag kan inte vara av med mamma...

– Men du har ju inte vigselringarna på dig?

– Jag har vurti för mager, jag måste ha dom i skänken... Att en ska frysa så förtvivlat... Är det inte kallt?

– Sitt, så ska jag tända på... Sitt nu bara, och ta igen dig lite...

Och Signe börjar syssla vid spisen för att göra upp eld, men ännu fryser Karolina, livets värme är på väg att lämna henne, skelettet stelnar till is... Hon famlar med händerna framför ansiktet för att hålla kvar det livets ljus, som tynar inför hennes ögon. Och det förtryter henne, att hon inte längre kan komma ihåg, var Abraham håller hus och vad han har för händer denna septemberkväll... Men vad är det för tid? Är det vinter eller vår, sommar eller höst? Har Abraham gått på timmerhygge? Ligger han hjälplös ute i skogen under en fälld storfura? Ligger han kanske övergiven där ute och ropar efter mig, ja, hör jag inte i vinden hur han ropar mitt namn...

Men du vet ju mycket väl att Abraham är död, Karolina?

Jo, det kan väl hända... Men varför vill han aldrig komma hem?

Så det skymmer för mina ögon. Är det redan natt? Och vem är denna tunga och grånade kvinna, som skymtar som en skugga framför mig? Kan detta vara lillflickan, Signe... Mitt barn?

– Sätt dig, Signe. Så jag får tala vid dig.

Karolina får fram portmonnän ur förklädesfickan och räknar upp det lilla beloppet med utmärglade händer av is.

– Där. Det är vad jag fick av Lundewall, i förskott på klockan, det är inte mycket, men det är allt han hade ...

– Jag skulle väl inte ta dom, om jag inte var tvungen ...

– Nej, nej ... Men du ska inte va så otålmodig, Signe. Det finns väl en mening med allt ...

– Mening?

– Den dagen kommer väl också för dig ... Då du måste underkasta dig och tåla.

– Jag kan inte vara tålmodig, mamma. Jag tror inte det finns nån mening, och jag kan inte tåla mig med det som är. Och jag tror, jag måste tro, att det kommer ett bättre liv för såna som oss ... Inte i år och kanske inte nästa. Men nån gång ...

– Det blir nog bra med det, om bara pappa kunde komma hem ... Om bara jag kunde begripa vad han har sinkat sig med ...

– Du är trött, mamma. Jag tar och bäddar opp åt dig, så du får sova. I morrn bitti kommer jag ner och följer dig till tåget ...

– Tåget ...

– Ja, du ska ju till sjukhuset i Nyköping, du vet ...

– Jaja, det blir nog bra med det ...

Signe stökar med kökssoffan och gör sig ärende in på kammarn, men Karolina hör henne inte. Hon sitter och stirrar oavvänt på köksdörren: måntro om inte Abraham ska stiga in mest vilket ögonblick som helst ...

– Nu är det klart. Vill du jag ska hjälpa dig i säng?

– Va? Nej, nej ... Jag sitter en stund, så jag får värmen i kroppen ... Gå du, som har barna och tänka på, barna måste ju ha sin passning ...

Ja, du har rätt Karolina, de levande kräver först av alla vår omsorg, och det är bara rätt att Signe reser sig för att lämna dig ensam.

Men varför ska hon stå och stirra på mig så där, så handfallen och förfärad, ska nu det vara nånting och se, en gammal och frusen kvinna?

Vad är det för underlig ängslan, som får Signe att tveka och dröja där hon är ...

– Jag vet inte riktigt, men ... Det måtte väl inte vara något jag har glömt? Du får väl sköta om dig så länge?

– Jaja ...

– Jag kommer ju inom i morrn bitti, för och hämta dig.

– Jag ska nog vänta på dig. Ha det nu bra.

Och Signe reser sig och går, dröjande och tveksamt, det var något hon hade på tungan men inte fick sagt, vad det nu var, en glömska som trycker henne med oklar beklämning ... Att dröja än en liten stund? Lätt sagt. Men hur det nu är, måste hon ju hem till barnen, det hjälps bara inte, en rår sig inte själv ...

Ett kyligt drag från dörren – sedan stilla.

Signe, är du där?

Nej, hon har gått.

Så vart jag ensammen till slut.

Nej, Signe, hon vill inte underkasta sig och tåla. Och vad som än händer, slutar hon inte att hoppas och tro på en bättre värld, nån gång, nån stans. En bättre värld, ett bättre liv för sådana som oss. Men när den soluppgången kommer, då lär det nog vara för sent för Abraham och mig . . .

Så trött, jag orkar inte tänka mera . . . Och allt kunde förresten göra detsamma, om bara Abraham ville skynda sig hem, om bara jag äntligen kunde bli fri från kvinnans lott, att ensam sitta och vänta och ängslas . . .

Kom, natt, och ge mig åter honom jag förlorat . . .

Nu skymmer det alltmera, och bilderna av Signe och barnbarnen har redan börjat blekna och försvinna i utkanten av det mörker, som faller över hennes sinnen.

Och Abraham borde för längesen ha varit hemma.

Till slut blir oron för stark, och Karolina reser sig och vandrar ut för att söka efter Abraham nere vid ån, om han nu möjligen har tagit upp mjärdar och sen gått och fallit i . . .

Hon darrar av köld, och det skymmer alltmer för hennes ögon, men det är välkända vägar hon går, och fötterna söker sig fram av gammal vana . . .

Så mörknande och kall septembers himmelskupa.

– Abraham, ropar hon i vinden, men hennes rop är bara en viskning.

Och mörkret faller.

Nu vandrar hon genom dungen där nere vid ån, under alarnas kronor, så tunga av mörka tankar, och någon har huggit och bläckat i stammarna, så att trädens röda blod dryper ner mot marken. Och där är plankgärdslet kring den gamla isstacken, som en stor, svart kista tornar det upp sig i mörkret.

– Abraham, ropar hon med läppar som vitnat av köld.

Kom hem!

Men vinden bär undan hennes ord, och bara en susning i träden ger ett svar, som hon inte förstår.

Och sandstranden vid dungen är översållad av fiskar, braxen, abborre, gädda, otaliga fiskar, ännu levande, med flämtande gällock och stirrande, stela ögon, otaliga fiskar drivna i land av en okänd makt, och den sällsamma synen inger henne en flyktig undran, som snart driver undan som rök...

Abraham, var är du...

Men nu kommer hon ut ur aldungen, och där vid horisonten i väster ligger en tunn, hallonfärgad strimma av ljus, som kanske är den sista glimt av solen hennes ögon når...

Och där i ljusdunklet på den bleka stubbåkern står landade, vita måsar i oändligt tal, och alla ser de på Karolina med lysande klara fågelögon, och alla står stilla, ingen försöker fly, nej, alla är så förstenat stilla, och ingen lyfter sin vinge i denna septembernatt...

Abraham, jag ber dig, kom tillbaka...

Men allt blir mörkare och mera ovisst nu.

Kanske faller hon omkull i stubbåkern och blir liggande och ser upp i höstkvällens mörknande, blåa rymd, kanske blir hon liggande så, ovisst hur länge.

Och solnedgångens ljus har längesedan tynat.

Och kyla och mörker är allt. Och oändliga avstånd.

Vad är det för tid, vad är det för ort, vem vet vad som händer i dessa ovissa marker vid nattens gräns...

Vem vet vad som händer.

En sista flämtning av ljus i kroppen, en kraft som lyfter och hjälper henne den mörknande vägen hem, ja, ännu en gång är hon hemma, hennes kalla, förstenade kropp är fläckad av åkerns lera, men här står hon vid köksdörren och ser in: det brinner en eld i spisen, och kökssoffan står uppbäddad med vita lakan, och hon inser med en frossbrytning av glädje, att Abraham är hemma, ja, Abraham har äntligen kommit hem och fått fyr i spisen och bäddat opp sängen åt oss... Mens jag var ute och letade som en fjolla...

Nu står han väl inne på kammarn och väntar på att få komma ner till mig, så vi får vara tillsammans vi två, som vi brukade förr...

Ja, jag är här, och nu väntar jag på dig, Karolina.

Du får väl tåla dig en stund, mens jag rustar mig lite, säger hon till svar.

Och hon får fram handfatet och tappar upp lite vatten ur spisens kopparbehållare, det har blivit lagom handvarmt, så hon får av sig den värsta leran i ansiktet och händerna... Fattas bara att hon inte skulle rusta sig lite inför mötet med den hon så länge väntat på...

Nu är jag färdig, säger hon till slut.

Då måste du klä av dig och gå till sängs, Karolina.

Och hon underkastar sig och lyder denna röst, som bjuder henne gå till vila. Med frusna, fumliga händer börjar hon lösa sina kläder.

Jag vill komma ner till dig och vara i lag med dig, och allt ska vara som förr, Karolina.

Men Karolina mumlar och klagar en smula, när hon mödosamt klär av sig, och hon klagar så skrytsamt som bara en älskad kvinna kan göra: i kväll när en är så frusen och sömnig och trött, och aldrig får en ligga i ro, alltid ska en ha denna välsignade karl att ställa tillfreds...

Allting blir bättre när jag kommer till dig, Karolina.

Och hon kryper ner i de svala, kamferdoftande lakanen, som också har den starka, fräna lukten av en man och hans lust, jo, nog är detta Abrahams lukt, som hon känner så väl och saknat så länge...

Det var drygt att leva ensammen, säger hon till slut.

Nu är jag ju hos dig igen, säger Abraham.

Ja, kanske att du kom i rättan tid.

Men nu ska du se till att hålla dig vaken en stund, Karolina, du har ju så obegripligt lätt att somna, men bara du vill tåla dig lite, ska jag komma ner till dig och allt ska vara som förut...

Du tog väl inte illa vid dig att jag sålde vigselringarna, säger hon, orolig med ens.

Nej, jag tog inte illa vid mig, Karolina.

Jag såg mig ju ingen levande råd?

Jag vet. Men nu ska du inte bekymra dig mera, Karolina. Om en liten stund ska jag vara hos dig.

Och hon makar sig lydigt inåt väggen för att ge plats åt sin man, och hon knäpper händerna över brösten och sluter ögonen och lyssnar till den tynande eldens susande i spisen, till moraklockans sista, viskande budskap från tiden. Nu är hon äntligen beredd. Nu kan hon vila.

Sover du, Karolina?

Ja, hon sover nu och vaknar inte mera.

Hon har så obegripligt lätt att somna.

Föreliggande volym utgör andra delen i en planerad serie berättelser från Sörmland. Första delen, *Åminne,* utkom 1970.

Sven Delblanc